¡Nos vemos!

Paso a paso 5

Libro del alumno  A2.3

Eva María Lloret Ivorra
Rosa Ribas
Bibiana Wiener
Pilar Pérez Cañizares

Autoras
Eva María Lloret Ivorra
Rosa Ribas
Bibiana Wiener
Pilar Pérez Cañizares
Colaboración
Dr. Margarita Görrissen, Dr. Marianne Häuptle-Barceló
Coordinación editorial y redacción
Mónica Cociña, Pablo Garrido, Dr. Susanne Schauf, Beate Strauß
Diseño y dirección de arte
Óscar García Ortega, Luis Luján
Maquetación
Asensio S.C.P.
Ilustración
Jani Spennhoff, Barcelona

Fotografías
Cubierta Album/Miguel Raurich **Unidad 1** págs. 6 y 7 Age fotostock, Istockphoto, Archivo Klett; pág. 8 Istockphoto, Archivo Klett, ShutterStock; pág. 12 Album/Martí E. Berenguer; pág. 15 Juan Carlos Guijarro/flickr, Album/Miguel Raurich, Archivo Klett; **Unidad 2** pág. 16 Avenue Images, Istockphoto; pág. 21 Istockphoto; pág. 22 Avenue Images, Istockphoto; pág. 23 MEV Verlag GmbH; pág. 25 wikimedia commons; **Unidad 3** pág. 26 Secretaría General de Turismo; pág. 27 Dreamstime; pág. 28 Daniel Lombraña González/Flickr, ShutterStock; pág. 29 Javier Lopez Bravo/Flickr, Istockphoto, gripso_banana_prune/Flickr; pág. 31 Istockphoto, Thinkstock; pág. 32 Age fotostock; pág. 35 F1 online/Digitale Bildagentur, Archivo Klett, Istockphoto; **Unidad 4** pág. 38 José Morillo; pág. 39 Thinkstock/Getty Images; **CUADERNO DE EJERCICIOS Unidad 1** pág. 42 Marcus Lindström/Istockphoto; pág. 43 Tracy Whiteside/Istockphoto; David Gunn/Istockphoto, digitalskillet/Istockphoto, Jacob Wackerhausen/Istockphoto, koksharov dmitry/Istockphoto; pág. 44 Claude Dagenais/Istockphoto; pág 45 Carmen Martínez Banús/Istockphoto; pág. 46 Nicolas Loran/Istockphoto **Unidad 2** pág. 49 Thinkstock; pág. 51 Photodisc/Digital Vision/Thinkstock; pág. 52 Linda & Colin McKie/Istockphoto, Silvia Jansen/Istockphoto, DIGIcal/Istockphoto; **Unidad 3** pág. 56 Ameng Wu/Istockphoto, Manuel Velasco/Istockphoto; pág. 58 Milos Luzanin/Istockphoto, Alessandro Oliva/Istockphoto; pág. 59 LORO PARQUE.

Todas las fotografías de www.Flickr.com están sujetas a una licencia de Creative Commons (Reconocimiento 2.0 y 3.0).

Audiciones CD
Estudio de grabación Tonstudio Bauer GmbH, Ludwigsburg y Difusión.
Locutores José María Bazán, Mónica Cociña, Miguel Freire, Pablo Garrido, Helma Gómez, Pilar Klewin, Lucía Palacios, Ernesto Palaoro, Carmen de las Peñas, Pilar Rolfs, Carlos Segoviano, Teresa Staigmiller, Julia Vigo.

Agradecimientos
Carolina Domínguez, Agustín Garmendia, Edith Moreno, Veronika Plainer, Victoria Senén (Gabinete de Prensa. Fundación Juan March).

Agradecemos especialmente la colaboración en la sección De fiesta de Javier Aparicio, Carmen Barrio de Alarcón, Nieves Castells Fernández, Silvia Colina, Pilar Klewin, Leonor Lemp, Begoña Sáenz, Eva Martínez, Blanca Alicia Merino, Charo Torres Calderón, Virginia Zepeda Villagra.

Queda prohibida cualquier forma de reproducción, distribución, comunicación pública y transformación de esta obra sin contar con autorización de los titulares de propiedad intelectual. La infracción de los derechos mencionados puede ser constitutiva de delito contra la propiedad intelectual (arts. 270 y ss. Código Penal).

¡Nos vemos! está basado en el manual **Con gusto**.
© de la versión original (*Con gusto*): Ernst Klett Sprachen GmbH, Stuttgart 2010. Todos los derechos reservados.
© de la presente edición: Difusión, S.L., Barcelona 2011. Todos los derechos reservados.

ISBN: 978-84-8443-803-8
Depósito legal: B-12.253-2011
Impreso en España por Gráficas Soler

Índice

1 Lo quiero todo 6

Recursos comunicativos y situaciones
- Pedir algo en una tienda
- Describir y comprar ropa
- Hablar de los hábitos de compra
- Elegir entre varias cosas
- Describir el inicio, la continuación y el final de una historia

Dosier: Escribir un guión para un diálogo en una tienda

Gramática
- Pronombres indefinidos
- La revisión de los pronombres de objeto directos e indirectos
- Los pronombres de objeto en una oración
- El uso de ¿qué? / ¿cuál?
- Perífrasis verbales: **empezar a**, **dejar de**, **seguir + gerundio**

Cultura
- El Rastro (Madrid)
- La vida del cantante Peret

De fiesta: La Semana Santa en Sevilla

2 ¡Qué amable! 16

Recursos comunicativos y situaciones
- Felicitar
- Aceptar y rechazar una invitación
- Dar un regalo y dar las gracias al recibir uno
- Presentar a alguien
- Ofrecer algo para comer o beber
- Dar permiso

Dosier: Escribir un manual para hispanohablantes que están invitados a una fiesta en un país extranjero

Gramática
- El imperativo afirmativo
- La posición de los pronombres de objeto con el imperativo
- El uso de **ir / venir** y **llevar / traer**
- Apócope y posición de los adjetivos **grande**, **bueno**, **malo**
- El sufijo **-ísimo**

Cultura
- Las invitaciones y sus diferencias interculturales

De fiesta: El Velorio de Cruz de Mayo (Venezuela)

3 Vamos al parque 26

Recursos comunicativos y situaciones
- Organizar una excursión
- Expresar alegría y decepción
- Mantener una conversación telefónica
- Hablar de medidas para proteger el medio ambiente
- Expresar prohibición y obligación
- Describir paisajes

Dosier: Planificar la creación de un parque, dibujarlo y escribir un eslogan

Gramática
- El imperativo negativo
- Los pronombres demostrativos **este**, **ese**, **aquel**
- Los adverbios **aquí / ahí / allí**
- Los pronombres posesivos tónicos (**el mío, el tuyo, el suyo,...**)

Cultura
- El Parque Nacional de Doñana
- El "Parque del amor" en Lima

De fiesta: La noche de San Juan en Galicia

4 Mirador 36

- Similitudes y diferencias culturales
- Autoevaluación teórica y práctica
- Una imagen como actividad de expresión oral
- Aprender a aprender: terapia de errores, estrategias para mejorar la comprensión lectora

Estructura de ¡Nos vemos!

¡Nos vemos! Paso a paso es un manual para descubrir el mundo de habla hispana y aprender a comunicarse en muchas situaciones de la vida cotidiana. En un mismo libro se ofrecen el Libro del alumno y el Cuadeno de ejercicios.

Cada unidad del Libro del alumno tiene la siguiente estructura:

Una página doble de **portadilla** presenta los objetivos, activa los conocimientos previos e introduce el tema de la unidad.

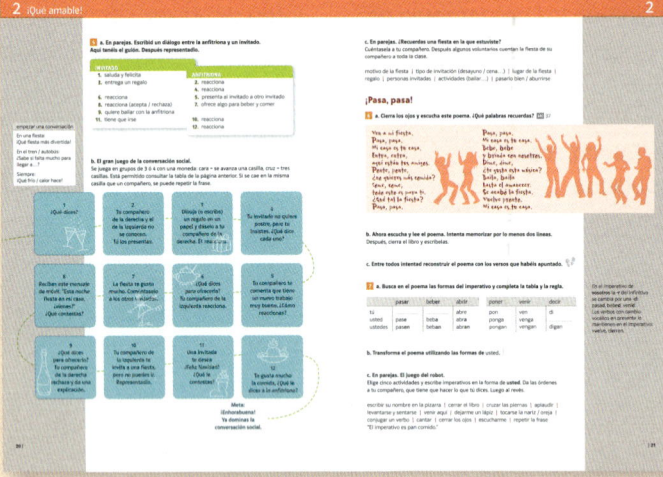

Tres páginas dobles forman el corazón de la unidad. Contienen textos vivos e informativos para familiarizarse con el idioma y actividades para aplicar de inmediato lo aprendido.

Una **tarea final** servirá para convertir los conocimientos adquiridos en algo práctico para la vida real. Junto con sus compañeros, el estudiante elaborará un "producto" que podrá guardar en el dosier de su portfolio.

¿Qué me llevo de esta etapa? es una sección ideada para dar cabida a las necesidades personales del alumno. Aquí reflexionará sobre los aspectos de la unidad necesarios para él, conocerá las estrategias que ha usado consciente o inconscientemente y encontrará consejos que le facilitarán el aprendizaje.

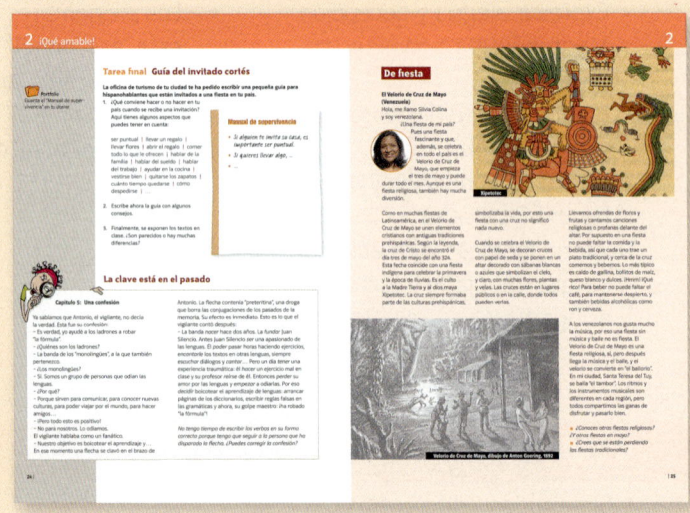

En el apartado **Panamericana**, toma la palabra una persona que habla de su propio país. De esta manera, a lo largo del manual se realiza un interesante recorrido cultural por toda Latinoamérica.

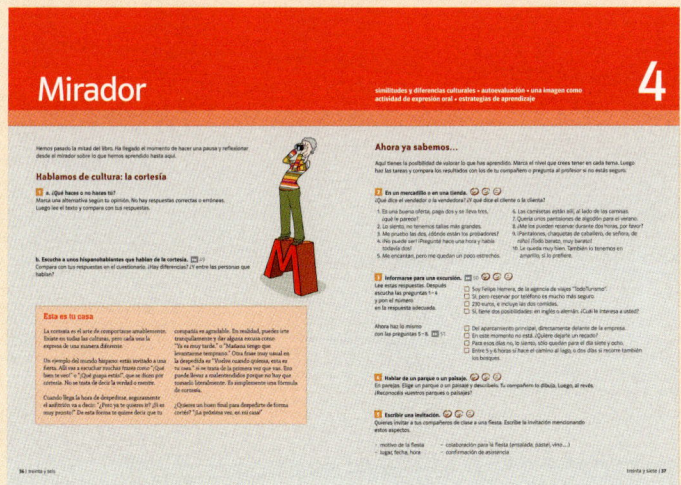

Cada libro se cierra con una **unidad de revisión**, llamada **Mirador**, en la que se ofrece una vista global sobre todos los conocimientos lingüísticos y culturales adquiridos. Además, estas unidades de repaso permiten experimentar con las estrategias de aprendizaje y tratar los errores. Al final, el propio estudiante elaborará un juego para repetir la materia.

Estructura del Cuaderno de ejercicios

Las unidades del Cuaderno de ejercicios proporcionan:

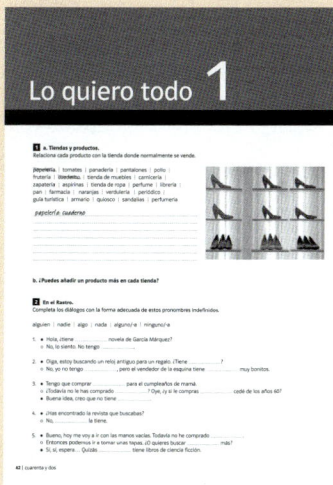

Numerosas actividades para consolidar el vocabulario y la gramática vistos en el Libro del alumno.

Una actividad orientada al español de los negocios con carácter opcional en la sección **Mundo profesional**.

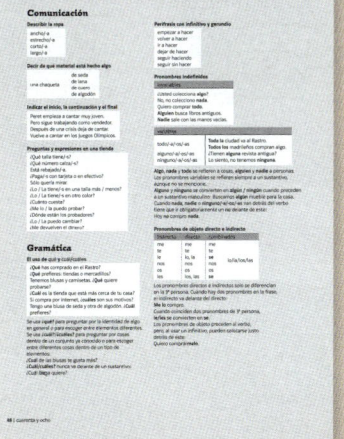

Una **sección dedicada a la fonética** (**Pronunciar bien**) en la que se dan consejos relacionados con ciertas características de la pronunciación del español. El estudiante reflexiona y practica.

Un apartado (**Portfolio**) en el que el estudiante tendrá ocasión de **autoevaluar su progreso**.

Un **resumen gramatical** en el que se recogen los **recursos lingüísticos** de cada unidad.

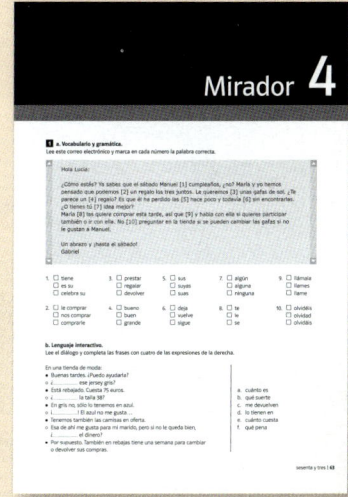

Como en el Libro del alumno, cada **Mirador** sirve para hacer un alto en el camino y **comprobar los conocimientos adquiridos mediante tests**.

Símbolos utilizados en el libro:
- ▶▶ audiciones del libro junto con los números de las pistas del CD
- ✎ ejercicio adicional en el Cuaderno de ejercicios
- 👣 actividad que implica ir por la clase y preguntar a varios compañeros

cinco | 5

Lo quiero todo

formular preguntas y deseos en una tienda • describir el material y la forma de la ropa • referirse a objetos mencionados • elegir entre dos opciones • indicar el inicio, la continuación y el final de una historia

1

1 a. ¿Cómo compramos?

¿Tienes una tienda favorita? ¿Cuál?
¿Te gusta ir a los mercadillos?
¿Hay uno en tu ciudad? ¿Dónde? ¿Cuándo?
¿Has comprado alguna vez algo en un mercadillo? ¿Qué? ¿Dónde?
¿Sabes qué es **regatear**? ¿Sabes hacerlo?

b. Escucha dos diálogos. ¿A qué fotos se refieren? 1-2

c. Escribe en cinco minutos una lista de todo lo que se puede comprar en estas tiendas.

panadería | zapatería | carnicería | frutería | verdulería | farmacia | papelería | droguería | tienda de ropa | tienda de antigüedades | librería

siete | 7

1 Lo quiero todo

De compras en el Rastro

2 a. El Rastro de Madrid.
Lee el texto y marca las informaciones sobre los horarios y las cosas que se pueden comprar allí. ¿Hay mercadillos parecidos en tu ciudad?

El Rastro, más que un mercadillo

Los domingos y festivos de 9 h a 15 h los madrileños practican una de sus actividades favoritas: ir al Rastro, el mercadillo más típico de Madrid y casi de España. El Rastro está en Embajadores, un barrio del centro con mucha tradición, y se puede decir que todos los madrileños han comprado alguna vez algo allí.
En el Rastro se puede encontrar de todo. Si alguien busca libros, algún mueble para la casa, ropa de segunda mano, alguna revista antigua, arte, algo que colecciona… tiene que ir al Rastro. Nadie sale con las manos vacías.
La mejor hora para ir es a partir de las 11 h, pero algunos van antes porque es más tranquilo y se puede regatear mejor, es decir, negociar el precio con los vendedores. Regatear bien es un arte.
Para terminar la visita al Rastro, lo mejor es ir a tomar unas tapas con un vasito de vino o una cerveza fresca en alguno de los bares típicos de la Plaza de Cascorro.

Alguno y **ninguno** se transforman en **algún / ningún** cuando acompañan a un sutantivo:
Algún mueble para la casa.

Cuando **nada**, **nadie** y **ningún, ninguno/-a** van después del verbo, hay que usar **no** antes de este:
No compro **nada**.

b. Lee la tabla de los pronombres indefinidos.
¿Cuáles se refieren a personas, cuáles a cosas y cuáles a las dos?

solo, invariable	hace referencia a un sustantivo	
• ¿Usted colecciona **algo**? ○ No, **nada**. **Alguien** busca libros antiguos. **Nadie** sale con las manos vacías. Me gusta **todo**.	todo/-a/-os/-as alguno/-a/-os/-as ninguno/-a/-os/-as	Toda la gente va al Rastro. Algunos regatean. • ¿Tiene algún reloj? ○ No, ninguno.

c. Mira las fotos de las páginas 6 y 7 y decide si estas frases son verdaderas o falsas.
Luego, corrige las falsas.

1. Todos los hombres llevan gafas.
2. Alguien fuma pipa.
3. Hay algunos objetos de cerámica.
4. No hay ningún cuadro.
5. Alguien regatea el precio de un libro.
6. No hay nada de cristal.
7. Ninguno de los sombreros es negro.
8. Nadie mira el caballo de bronce.
9. En todas las fotos hay algo de color rojo.
10. No hay ninguna mujer.

1-3

3 a. Escucha a estas personas que han comprado algo y relaciona los diálogos con los objetos. 3-6

b. Escucha otra vez y luego lee estos extractos de los diálogos.
¿Para quién son los objetos que han comprado: para la persona que habla, para sus amigas, para su padre o para su hermana?

> **Me lo** he comprado esta mañana en el Rastro. Desde hace mucho tiempo quería uno así, de bronce y de estilo barroco.

> **Las** tenían en oferta. Pagabas dos pares y te llevabas tres. Quería regalar**les** algo a las dos. Como sé que **les** van a gustar, **se las** he comprado.

> **La** he comprado yo, pero voy a regalár**sela** a Malena para su comedor. ¿Verdad que es bonita?

> No, no son para mí. Desde que está jubilado **los** colecciona. Por eso **se los** he comprado.

¿Recuerdas?

Lo
La } venden en el Rastro.
Los
Las

Me
Te
Le
Nos } gusta mucho.
Os
Les

c. Ya conoces los pronombres de objeto directo (OD) e indirecto (OI). ¿Qué pasa si aparecen juntos? Completa la regla.

	OI	OD	
¿El espejo?	Me	lo	
¿La lámpara?	Te	la	
¿Los sellos?	L̶e̶ Se	los	he comprado en el Rastro.
¿Las sandalias?	Nos	las	
	Os		
	L̶e̶s̶ Se		

El pronombre indirecto siempre va .... del directo. En la 3ª persona de singular y de plural **le / les** se convierten en .... :
Le compro una lámpara.
Se la compro.

4 **Malena ha ordenado el sótano de su casa y escribe este correo a un amigo.**
Por un error del programa de corrección, el ordenador ha eliminado los pronombres. Reescribe el texto con los pronombres. La tabla de la página 48 te puede ayudar.

4, 5

Hola Jaime:

Ayer empecé a ordenar el sótano y vi que tengo demasiadas cosas. Por ejemplo tengo todavía tu ordenador viejo. Tengo que devolver **a ti el ordenador**. ¿O puedo tirar **el ordenador**?
También encontré una caja con libros. Los libros de ciencia ficción le gustan mucho a Pablo, así que doy **los libros de ciencia ficción a Pablo**. Está muy contento y va a venir esta noche a buscar **los libros de ciencia ficción**.
¿Recuerdas que compré una maleta en el Rastro? Es roja y de cuero. Ahora veo que tengo tres, así que en realidad no necesito **la maleta**. Creo que Amelia necesita una. ¡Pues regalo **la maleta roja a Amelia**!
¿Y sabes que tengo todavía las sillas que Fran y Marisa me prestaron? Voy a devolver **las sillas a Fran y a Marisa** mañana, porque necesitan **las sillas** este fin de semana para su fiesta. Me parece que soy una consumista, tengo muchas cosas, demasiadas.

Un abrazo,
Malena

material
de cuero
de seda
de lana
de algodón

1 Lo quiero todo

5 **a. Has ganado estos objetos y se los quieres regalar a tus compañeros.**
¿A quién se los regalas? Apunta el nombre al lado de cada objeto. Después pregunta a un compañero qué hace con cada objeto. Luego, al revés.

- ● ¿Qué haces con la bicicleta rosa?
- ○ Se la doy a Martina para su hija.

- una bicicleta rosa
- un cocodrilo de plástico para la bañera
- una camiseta con la foto de Shakira
- un oso de peluche de dos metros
- un póster del equipo del Real Madrid
- un libro de cocina china: "Cómo cocinar insectos"
- unos pantalones rojos de cuero

¿Recuerdas?
Se la doy **a Martina**.
¿Qué **le** gusta **a su madre**?

 6-8

b. Piensa en cuatro regalos que has recibido: el más original, el que más te gusta, el más inútil y el más feo. ¿Quién se los regaló?

- ● El más original fue un bolígrafo con luz. Me lo regaló mi amiga Patricia.

Gastando dinero

6 **a. Una pareja va de compras. Escucha y lee. ¿Cuál es el problema?** ▶▶ 7

- ● ¿Les puedo ayudar en algo?
- ○ Pues sólo queríamos mirar…
- ■ ¡Mira, Juan! ¡Qué vestido más bonito! Perdone, ¿me lo puedo probar?
- ● Claro. Allí están los probadores.
- ○ ¿Cómo te queda, Ana?
- ■ Muy bien, muy bien.
- ○ A ver… ¿No te queda estrecho? ¿Seguro que no necesitas una talla más grande?
- ■ No, no. La talla 38 es mi talla.
- ○ Vale, vale.
- ● ¿Y? ¿Qué tal? ¿Qué le parece el vestido?
- ■ Muy bien, pero me queda un poco largo.
- ○ Sí, sí, largo…

recursos para comprar
Sólo quería mirar.
¿Lo tiene en una talla más?
¿Lo tiene en otro color?
¿Me lo puedo probar?
¿Cuánto cuesta?
¿Lo puedo cambiar?

¿Qué número calza?
Está rebajado/-a.
¿Paga con tarjeta?
¿Paga en efectivo?

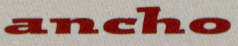

b. Escucha dos diálogos en otras tiendas. ¿Dónde tienen lugar? ▶▶ 8-9
Completa y marca la opción correcta.

1. En una ....
a. Los zapatos
   ☐ no están rebajados.
   ☐ tienen un 40% de descuento.
b. El hombre
   ☐ calza el 43.
   ☐ no se prueba los zapatos.
c. El cliente quiere pagar
   ☐ con tarjeta de crédito.
   ☐ en efectivo.

2. En una ....
a. La clienta
   ☐ tiene un problema con un jersey.
   ☐ quiere comprar un jersey.
b. La clienta quiere
   ☐ probarse el jersey.
   ☐ cambiar el jersey.
c. La clienta
   ☐ no tiene el ticket de compra.
   ☐ necesita el ticket de compra.

 9

10 | diez

c. Elige tres de los recursos para comprar de la página 11. Imagina qué frase se ha dicho antes. Después presenta el minitexto a la clase.

- ¿Qué desea?
- Sólo quería mirar.

- El violeta no me gusta. ¿Lo tiene en otro color?

7 a. Comprando.

Una empresa de venta por internet quiere conocer los hábitos de compra de sus clientes. Contesta las preguntas. Después se comparan las respuestas de la clase. ¿Observáis tendencias?

¡Conteste estas preguntas y gane un viaje a Tenerife!
→ ¿Qué edad tiene?
→ ¿En qué tipo de tiendas compra regularmente: supermercado, mercado, tienda del barrio…?
→ ¿Cuál de estas tiendas ofrece un servicio online?
→ ¿Qué productos ha comprado ya por internet?
→ Si compra por internet, ¿cuáles son sus motivos?
→ ¿Qué importancia tiene la marca para usted?

Gracias por su colaboración.

b. Lee otra vez las preguntas del cuestionario.
¿Cuándo se usa **qué** y cuándo se usa **cuál / cuáles**? Completa la regla y añade un ejemplo en cada columna de la tabla.

qué	cuál/es
¿Qué has comprado en el Rastro?	¿Cuál es su color favorito?
¿Qué prefiere, tiendas o mercadillos?	¿Cuál de estas tiendas ofrece un servicio online?
¿Qué productos compra usted por internet?	

Cual nunca precede a un sustantivo:
¿Cuál vestido quiere?

 10

c. En parejas. Primero completa las preguntas con **qué, cuál o cuáles.** Luego pregunta a tu compañero. Después, al revés. ¿Podéis ir de compras juntos?

1. ¿.................... tipo de tiendas de ropa prefiere?
2. ¿.................... son las tiendas donde compra regularmente?
3. ¿.................... tienda de bricolaje puede recomendar? ¿Por qué?
4. ¿.................... es la tienda que está más cerca de su casa?
5. ¿.................... compra usted por internet?
6. ¿.................... ha sido su compra más cara este año?

8 El precio de las cosas.

¿Estás dispuesto/-a…
- a pagar por un kilo de patatas biológicas el doble que por las normales?
- a pagar 2 € por un billete de metro para ir sólo hasta la próxima parada?
- a pasar por tres supermercados para comprar en cada uno los productos más baratos?
- a pagar 120 € por una entrada de un concierto de tu cantante/grupo favorito?

1 Lo quiero todo

El precio de la fama

9 **a. Una canción que vale millones: ¿conoces la canción "Borriquito"?**
Con esta famosa rumba llegó el éxito del cantante Peret. Lee el texto y marca las palabras relacionadas con la música.

Peret, una vida de ida y vuelta

La rumba tiene su origen en Cuba, pero en los años 50 la comunidad gitana de Barcelona empieza a mezclar la rumba tradicional con los ritmos andaluces y el rock. Así nace la "rumba catalana". Peret, el "rey" de la rumba, nace en 1936 en Mataró (Barcelona). Su nombre real es Pere Pubill Calaf y viene de una familia gitana. No puede ir a la escuela porque tiene que ayudar a su padre en el trabajo, pero aprende solo a leer y también a tocar la guitarra. Peret empieza a cantar muy joven. Como no tiene éxito, sigue trabajando como vendedor con su padre, pero su mujer, Sarita, lo anima a seguir cantando. En los años 60 encuentra trabajo en un tablao flamenco en Madrid. Entonces deja de trabajar con su padre y se dedica a la música.
A finales de los años 60 Peret es ya uno de los cantantes más famosos en España, es el favorito del público, gana mucho dinero y empieza a llevar una vida de lujo. En 1974 representa a España en el Festival de Eurovisión, pero su mayor éxito es la rumba "Borriquito", que es también número uno en Holanda y Alemania.
Pero la fama tiene su precio. Dinero, fiestas, … Peret sufre una grave crisis en el año 1982 y decide abandonar su carrera musical. Deja de cantar y se dedica completamente a la Iglesia Evangélica como pastor y predicador. Ahí encuentra más satisfacción que en el mundo del espectáculo y durante años sigue sin cantar en público.
En 1992 vuelve a cantar en los Juegos Olímpicos de Barcelona. En el año 2000 vuelve a grabar un disco.
Para muchos artistas Peret sigue siendo un modelo y un maestro.

b. Contesta estas preguntas sobre Peret con las informaciones del texto.

1. ¿Cuándo **empieza a** cantar?
2. ¿Por qué **sigue trabajando** con su padre?
3. ¿Quién lo anima a **seguir cantando**?
4. ¿Cuándo **empieza a** llevar una vida de lujo?
5. ¿Por qué **deja de** cantar?
6. ¿En qué ocasión **vuelve a** cantar?

c. ¿Cómo se dice en tu lengua? Escríbelo en la siguiente tabla.

perífrasis verbales	
empezar a + infinitivo	....
seguir + gerundio	....
dejar de + infinitivo	....
seguir sin + infinitivo	....
volver a + infinitivo	....

d. Cinco preguntas a Peret.
Prepara una entrevista al cantante Peret. Escribe cinco preguntas usando los interrogativos: **quién**, **cómo**, **cuándo**, **dónde** y **por qué**. Después, cada uno presenta sus preguntas y se eligen las diez más interesantes.

10 **¿Puedes resumir las frases usando las expresiones del cuadro de la página 12?**

1. Antes íbamos mucho al cine, por lo menos una vez por semana. Ahora tenemos DVD y vemos las películas en casa.
   Hemos dejado de ir al cine.

2. Yo canto en un coro. Desde hace unos meses tengo un nuevo trabajo y tengo que viajar mucho. Pero intento ir a todos los ensayos del coro.

3. Cuando era joven, Fernando tocaba la guitarra. Mientras trabajaba como representante no tenía tiempo. Pero ahora está jubilado y toca incluso en un grupo de jazz.

4. Mi padre coleccionaba sellos. Hace poco vendió su colección.

5. Me encanta leer y tengo la casa llena de libros. Un amigo me recomendó ir a la biblioteca en vez de comprarlos. Me pareció una buena idea, ahora voy regularmente.

6. Mis padres nunca han hecho deporte. El médico les dice que tienen que hacer algo, pero no les gusta y no lo hacen.

11 **a. Haced una encuesta en la clase. ¿Quién encuentra primero a una persona para cada aspecto?**

¿Quién de la clase
- ha dejado de fumar?
- ha empezado a aprender algo nuevo este año?
- sigue viviendo en la ciudad donde nació?
- sigue trabajando en la misma empresa desde hace más de 10 años?
- ha vuelto a casarse el año pasado?
- sigue sin recordar los indefinidos irregulares?
- ha vuelto a olvidar los deberes?

b. ¿Quieres cambiar tu vida?
Completa este pequeño poema. Luego se leen las diferentes versiones en la clase.

Mis buenos propósitos
Voy a cambiar mi vida.
¿Cómo? Me preguntas.
Empiezo a _____
y dejo de _____
Sigo _____
y vuelvo a _____
Voy a cambiar mi vida.
¿Cuándo? ¿Me preguntas?
Mañana, mañana.

1 Lo quiero todo

Portfolio
Guarda el diálogo de compra en tu dosier.

Tarea final De compras

Un guión para un diálogo en una tienda.

1. En parejas. Elegid dos perfiles de personas, una tienda y una situación. Escribid un diálogo con instrucciones para representarlo. Para inspiraros, podéis revisar los diálogos de la unidad.

   Perfiles
   - Un vendedor amable
   - Un vendedor antipático
   - Un cliente complicado
   - Un cliente que regatea

   Tiendas
   - Una boutique exclusiva
   - Un mercadillo
   - Una tienda de muebles y objetos de decoración

   Situación
   - Comprar un producto
   - Cambiar un objeto
   - Problema para encontrar el producto deseado

2. Luego cada pareja recibe el diálogo de otra y lo representa.

> En una tienda de muebles de diseño: una vendedora amable y una clienta complicada.
> Ella no encuentra lo que quiere.
>
> (Una señora elegante entra en una tienda.)
> – Buenas tardes.
> + Buenas tardes.
> – Quería una silla elegante pero cómoda.
> + ¿Qué le parece esta?
> – Esa es elegante ¿pero cómoda? No me gusta. ¿Tiene otras?
> (La vendedora busca otras sillas.)
> …

La clave está en el pasado

Capítulo 4: ¿Un testigo?

El siguiente paso era hablar con el vigilante. Se llamaba Antonio, estaba muy nervioso y parecía muy cansado. Tenía los zapatos y los pantalones sucios de barro.
– ¿Me puede contar qué pasó? – le pregunté.
– La noche empezó mal, llegué diez minutos tarde al trabajo y, además, la máquina de café no funcionaba.
– ¿A qué hora empieza usted a trabajar?
– A las nueve.
– Pero ayer llegó un poco tarde.
– Sí, a las nueve y media. Llovía mucho y había mucho tráfico. Siguió lloviendo hasta hace un momento. Entré, me puse el uniforme,…
– ¿Los zapatos son también parte del uniforme?
– Sí. Son zapatos especiales porque tenemos que movernos sin hacer ruido.
– Muy interesante. ¿Qué hizo después?

– Después hice mi ronda de control. Cada hora controlo todas las salas. Cuando terminé la ronda, busqué unas monedas para comprarme un café y observé las pantallas de las cámaras de vigilancia. En la ronda de las cuatro descubrí el robo.
– ¿Qué vio?
– Que la ventana de la oficina del director estaba rota. Desde fuera, porque los cristales de la ventana estaban dentro de la habitación.
– ¿Qué hizo cuando descubrió el robo?
– Llamé al director y esperé.
– ¿No salió del museo?
– No. Todavía no.
– Entonces dice usted mentiras.
– ¿Yo?
– Sí. Tres veces ha mentido usted.

Lee atentamente el testimonio del vigilante.
¿Has encontrado las tres contradicciones?

la Virgen de la Macarena

un paso

De fiesta

La Semana Santa

Hola, me llamo Charo Torres y soy sevillana, pero ahora vivo y trabajo en Alemania. ¿Una fiesta importante de mi ciudad? Pues, la Semana Santa que recuerda la pasión y la muerte de Jesucristo. Claro que esta fiesta cristiana se celebra en toda España y Latinoamérica en la semana antes de Pascua, pero la de Sevilla es la más espectacular. Para nosotros, los sevillanos, claro. Si preguntas en Málaga o Granada, te van a decir otra cosa… Pero bueno, yo os cuento cómo es en Sevilla.

¿Por qué es tan bonita? Porque aquí la Semana Santa se vive con una intensidad especial. En mi familia todos somos miembros de la "cofradía" de la Virgen de la Macarena, una de las casi 60 asociaciones de católicos que organizan las procesiones y cuidan todo el año los "pasos". Los pasos son unas figuras enormes que representan diferentes escenas (o pasos) de la pasión de Cristo o una imagen de la Virgen María. Mi preferida es la Macarena, por supuesto, una figura preciosa del siglo XVII que sale el Viernes Santo en la procesión. Aquí tenéis una foto.

Cada día de la Semana Santa hay procesiones de diferentes cofradías que recorren con sus pasos las calles llenas de gente.

Los "costaleros" de cada cofradía llevan el paso a hombros. No es fácil porque un paso puede pesar hasta seis toneladas. Por eso tienen que parar después de algunos metros para descansar y tomar fuerza. Entonces todo el mundo espera en silencio. Uno de los momentos más emocionantes es cuando vuelven a levantar el paso después de una pausa. Entonces se rompe el silencio y se escuchan aplausos y gritos.

Algo especialmente fascinante y misterioso de la Semana Santa andaluza son las "saetas". Así se llaman unos cantos improvisados que se cantan espontáneamente a las imágenes de los pasos. Cuando una persona empieza a cantar, toda la procesión se para. Las saetas tienen una melodía muy especial y recuerdan la tradición musical del flamenco y la música árabe. Son muy difíciles de cantar.

Pero quizás lo más famoso de nuestras procesiones son los "nazarenos", los miembros de la cofradía que acompañan el paso. Llevan una capucha muy alta, que cubre toda la cara menos los ojos, y una capa muy larga con los colores de la cofradía. Algunos van descalzos.

nazarenos

■ ¿Se celebra la Semana Santa en tu país? ¿Qué se hace? ¿Hay también procesiones?
■ ¿Se come algo especial el Viernes Santo o el Domingo de Pascua?

¡Qué amable!

¡Enhorabuena! Nos alegramos mucho por el nacimiento del pequeño Martín.
Un beso grande para los papás y el bebé.
Verónica y Gustavo

Delta Construcciones cumple 100 años
Le invitamos cordialmente a la fiesta de nuestro centenario el próximo sábado a las 19:00 h en el Hotel Ritz, Avda. de Mayo, 1111.

Queridos abuelos:
Muchísimas gracias por el regalo de cumpleaños. ¡Es hermoso! Ha sido realmente una sorpresa, de verdad. Gracias otra vez.

Besos,

Marcela

Flores para mamá. En la mayoría de los países hispanohablantes el día de la madre se celebra el segundo domingo de mayo, pero en España es el primero. Y en Argentina es el tercer domingo de octubre.

2

felicitar • invitar • presentar a alguien • dar un regalo • ofrecer algo • pedir permiso • dar consejos

Una piñata para los niños. En Perú no se puede imaginar un cumpleaños sin estas famosas figuras de papel de colores y llenas de frutas y dulces.

Un libro y una rosa para una persona querida: es el regalo tradicional en Cataluña el 23 de abril, que es el día de Sant Jordi y también el día del libro.

1 a. Lee los textos y subraya las fiestas o los acontecimientos que se mencionan.

b. Escucha tres diálogos y relaciónalos con las fotos o tarjetas. ▶▶ 10-11
Luego escucha otra vez y marca las expresiones que se mencionan en los diálogos.
¿Cuándo se usan las otras expresiones?

☐ Feliz Navidad
☐ Feliz santo
☐ Bienvenidos
☐ Feliz cumpleaños
☐ Próspero Año Nuevo
☐ Gracias, igualmente
☐ Enhorabuena
☐ Felices fiestas
☐ Felicidades
☐ ¡A su salud!
☐ ¡Mucho éxito!
☐ ¡Que lo pases bien!

c. ¿Cómo celebras tú estas fiestas?
¿Cuándo envías tarjetas o regalas flores?

diecisiete | **17**

2 ¡Qué amable!

Te invito a mi fiesta

2 **a. ¿Te gusta organizar fiestas? ¿En qué ocasiones lo haces? ¿Dónde?**
¿Se baila? ¿Cuál fue la última fiesta que organizaste?

b. Lee esta invitación. ¿Cuándo, dónde y por qué tiene lugar la fiesta?

> Queridos amigos:
> ¿Sabéis qué pasa el próximo sábado? ¡Es mi cumpleaños! Esto hay que celebrarlo, ¿no? Estáis todos invitados a mi fiesta, que es en mi casa y empieza a las 9 de la noche. ¿Hasta qué hora? Eso depende de vosotros, porque va a haber comida, bebida y música toda la noche.
> Vais a venir todos, ¿verdad? ¿Me lo confirmáis? Aquí os espero.
> Hasta el sábado.
> Un abrazo,
> Adriana
>
> ¿Alguien puede traer música para bailar? Es que no sé si tengo suficiente.

c. Algunas amigas llaman a Adriana. Marca las opciones correctas. ▶▶ 12–14

1. ☐ Cristina va la fiesta. ☐ Cristina no puede ir a la fiesta.
2. ☐ María va a llevar música. ☐ María va a llevar un pastel.
3. ☐ María quiere llevar a su novio. ☐ María quiere llevar a un amigo.

d. María habla por teléfono con Adriana. Observa lo que dicen.

ir, venir y llevar, traer	ubicación
María: "Adriana, **voy** a tu fiesta y **llevo** cedés."	María no está en casa de Adriana.
Adriana: "¡Qué bien! **Vienes** a mi fiesta y **traes** cedés."	Adriana está en su casa.

Recuerda:
ir y **llevar** → de aquí a ahí
traer y **venir** → de ahí a aquí

3 **a. Siempre hay motivos para celebrar una fiesta.**
Decide qué día dentro de las próximas semanas quieres celebrar una fiesta.
Luego escribe en un papel una invitación explicando el motivo de la fiesta, cuándo y dónde es, etc.

b. En grupos de cuatro. ¿Quién viene a mi fiesta?
Cada uno pasa la invitación que ha escrito a otra persona del grupo, que decide si va o no a la fiesta y escribe una respuesta. Después pasa la invitación al siguiente, que también contesta por escrito. ¿Quién va a tu fiesta?

 1–3

¿Recuerdas?

Aceptar:
Vale, perfecto.
¡Claro! ¡Por supuesto!

Rechazar:
Me encantaría, pero…
Lo siento, pero es que…

invitar	contestar por escrito
¿Qué haces el sábado? Es que doy una fiesta en mi casa. El sábado doy una fiesta, estás invitado/-a. El sábado celebro mi santo, ¿te apetece venir? Te escribo para invitarte a…	Gracias por la invitación. Voy con mucho gusto. ¿Llevo algo para comer o beber? ¡Hasta el viernes!

¡Qué buen ambiente!

4 a. En la fiesta de Adriana pasan muchas cosas. ▶▶ 15–19

Lee y escucha los diálogos. Subraya las diferencias que hay entre el texto escrito y el que escuchas. Luego escucha otra vez (con pausas) y apunta las expresiones diferentes.

b. Busca en los diálogos y en las frases que has apuntado las expresiones para...

	¿Qué se dice?	¿Cómo se reacciona?
entregar un regalo:	Toma. Te he traído una cosita.	
presentar a alguien:		
ofrecer algo:		
pedir permiso:		

✎ 4, 5

2 ¡Qué amable!

5 **a. En parejas. Escribid un diálogo entre la anfitriona y un invitado. Aquí tenéis el guión. Después representadlo.**

INVITADO	ANFITRIONA
1. saluda y felicita	2. reacciona
3. entrega un regalo	4. reacciona
6. reacciona	5. presenta al invitado a otro invitado
8. reacciona (acepta / rechaza)	7. ofrece algo para beber y comer
9. quiere bailar con la anfitriona	10. reacciona
11. tiene que irse	12. reacciona

empezar una conversación

En una fiesta:
¡Qué fiesta más divertida!

En el tren / autobús:
¿Sabe si falta mucho para llegar a…?

Siempre:
¡Qué frío / calor hace!

b. El gran juego de la conversación social.
Se juega en grupos de 3 ó 4 con una moneda: cara = se avanza una casilla, cruz = tres casillas. Está permitido consultar la tabla de la página anterior. Si se cae en la misma casilla que un compañero, se puede repetir la frase.

1 ¿Qué dices?

2 Tu compañero de la derecha y el de la izquierda no se conocen. Tú los presentas.

3 Dibuja (o escribe) un regalo en un papel y dáselo a tu compañero de la derecha. Él reacciona.

4 Tu invitado no quiere postre, pero tú insistes. ¿Qué dice cada uno?

8 Recibes este mensaje de móvil: "Esta noche fiesta en mi casa, ¿vienes?" ¿Qué contestas?

7 La fiesta te gusta mucho. Coméntaselo a los otros invitados.

6 ¿Qué dices para ofrecerla? Tu compañero de la izquierda reacciona.

5 Tu compañero te comenta que tiene un nuevo trabajo muy bueno. ¿Cómo reaccionas?

9 ¿Qué dices para ofrecerlo? Tu compañero de la derecha rechaza y da una explicación.

10 Tu compañero de la izquierda te invita a una fiesta, pero no puedes ir. Representadlo.

11 Una invitada te desea ¡Feliz Navidad! ¿Qué le contestas?

12 Te gusta mucho la comida. ¿Qué le dices a la anfitriona?

Meta:
¡Enhorabuena!
Ya dominas la conversación social.

c. En parejas. ¿Recuerdas una fiesta en la que estuviste?
Cuéntasela a tu compañero. Después algunos voluntarios cuentan la fiesta de su compañero a toda la clase.

motivo de la fiesta | tipo de invitación (desayuno / cena…) | lugar de la fiesta | regalo | personas invitadas | actividades (bailar…) | pasarlo bien / aburrirse

¡Pasa, pasa!

6 a. Cierra los ojos y escucha este poema. ¿Qué palabras recuerdas? ▶▶ 20

Ven a mi fiesta.
Pasa, pasa.
Mi casa es tu casa.
Entra, entra,
aquí están tus amigos.
Ponte, ponte,
¿no quieres más comida?
Come, come,
todo esto es para ti.
¿Qué tal la fiesta?
Pasa, pasa.

Pasa, pasa.
Mi casa es tu casa.
Bebe, bebe
y brinda con nosotros.
Dime, dime,
¿te gusta esta música?
Baila, baila
hasta el amanecer.
Se acabó la fiesta.
Vuelve pronto.
Mi casa es tu casa.

b. Ahora escucha y lee el poema. Intenta memorizar por lo menos dos líneas.
Después, cierra el libro y escríbelas.

c. Entre todos intentad reconstruir el poema con los versos que habéis apuntado.

7 a. Busca en el poema las formas del imperativo y completa la tabla y la regla.

	pasar	beber	abrir
tú	………	………	abre
usted	pase	beba	abra
ustedes	pasen	beban	abran

	poner	venir	decir
tú	pon	ven	di
usted	ponga	venga	………
ustedes	pongan	vengan	digan

En el imperativo de **vosotros** la **-r** del infinitivo se cambia por una **-d**: pasa**d**, bebe**d**, veni**d**.
Los verbos con cambio vocálico en presente lo mantienen en el imperativo: v**ue**lve, c**ie**rren.

b. Transforma el poema utilizando las formas de usted.

c. En parejas. El juego del robot.
Elige cinco actividades y escribe imperativos en la forma de **usted**. Da las órdenes a tu compañero, que tiene que hacer lo que tú dices. Luego al revés.

escribir su nombre en la pizarra | cerrar el libro | cruzar las piernas | aplaudir | levantarse y sentarse | venir aquí | dejarme un lápiz | tocarse la nariz / oreja | conjugar un verbo | cantar | cerrar los ojos | escucharme | repetir la frase "El imperativo es pan comido."

2 ¡Qué amable!

El imperativo se usa también para dar permiso. En este caso se suele repetir una vez. Los pronombres se colocan siempre detrás del verbo: ábre**la**, bája**lo**.

En español se intenta evitar responder solo con un **no**. Lo habitual es contestar con una excusa, que se entenderá como rechazo.

✎ 6–8

8 a. ¿Puedo...?
En muchas situaciones tenemos que pedir permiso, también en las fiestas. Relaciona.

pedir permiso	reaccionar
¿Puedo usar esta servilleta?	Por supuesto, ponte, ponte.
¿Puedo ponerme un poco más de vino?	Mejor en el balcón.
¿Puedo fumar aquí?	Claro que no. Bájalo, bájalo.
¿Te importa si bajo el volumen de la música?	Toma esta otra, esa está sucia.

b. En parejas. Estás en una fiesta. ¿Qué dices en estas situaciones?
Tu compañero reacciona. Luego al revés.

- ● ¿Puedo abrir la ventana?
- ○ Claro, ábrela, ábrela.

- – Usted tiene calor.
- – Usted tiene sed.
- – Hay servilletas en la mesa y usted necesita una.

- – Quiere sentarse en la única silla libre.
- – Usted quiere otro trozo de tortilla.
- – Usted no tiene cuchillo.
- – Usted tiene frío y quiere cerrar la ventana.

Fue una gran fiesta

9 a. Pequeños malentendidos.
Un español y un alemán cuentan sus impresiones de la fiesta desde una perspectiva diferente. ¿Qué tema se trata en cada párrafo?

el superlativo en -ísimo/-a
much**o** – much**ísimo**
divertid**a** – divertid**ísima**
tard**e** – tard**ísimo**
ric**a** – ri**quísima**

¿Qué tal la fiesta, Eduardo?
Muy bien. Fue divertidísima. Fui con mi amigo Frank, que está de visita aquí en España. Frank lo pasó muy bien, pero ¡cómo come este chico! Adriana preparó muchas cosas riquísimas y le sirvió un plato lleno. Frank se lo comió todo. Y después otro y otro. ¡Nunca he visto a nadie comer tanto en una noche!
★★★
Frank le trajo una botella de vino a Adriana, la anfitriona, y se extrañó muchísimo porque ella lo abrió y se lo ofreció a los invitados. Era un buen vino. Frank sabe muchísimo de vinos. Estaba riquísimo.
★★★
No sé qué le pasó a Frank en la despedida. Dijo "adiós" y se fue. Así, sin más. No necesitó más de dos minutos. Nosotros pensamos que estaba enfadado o que tenía prisa. Es un buen amigo, pero a veces no entiendo su manera de actuar.

¿Qué tal la fiesta, Frank?
Me gustó mucho. Eduardo tiene unos amigos simpatiquísimos. Pero creo que piensan que no como suficiente porque Adriana, la anfitriona, siempre me ponía más comida y decía "Come, come". Y yo comía. Después otra vez. "Ponte, ponte más". Yo le decía que no, pero ella me ponía más y más comida. Al final ya no podía más.
★★★
Adriana debe ser una chica muy generosa. Le regalé un vino, un gran vino, buenísimo y bastante caro. Pero ella lo abrió y lo compartió con sus amigos. No lo guardó para una ocasión especial.
★★★
Se nota que todos son buenos amigos, porque no querían separarse. Estaban despidiéndose y decían "Bueno, es tardísimo, nos vamos" y empezaban otra vez a hablar. Lo dijeron por lo menos tres veces. Yo dije "adiós" y me fui. Necesitaba caminar porque había comido muchísimo.

b. Marca en el texto las palabras clave de cada malentendido.

c. ¿Qué pasó en la fiesta? Elige una opción.

1. ¿Por qué comió tanto Frank?
   ☐ Porque tenía hambre.
   ☐ Porque Adriana insistía mucho.
2. ¿Por qué Frank se sorprendió cuando Adriana abrió la botella de vino?
   ☐ Porque era muy caro.
   ☐ Porque era un regalo para ella y no para tomar en la fiesta.
3. ¿Por qué Frank se despidió tan rápido?
   ☐ Porque estaba enfadado.
   ☐ Porque en su país es normal despedirse así.

d. Al día siguiente Frank y Eduardo hablan de la fiesta. ▶▶ 21
Escucha la conversación y comprueba tus respuestas. Luego explica las reacciones de Frank.

hablar de normas

es normal ⎤
es usual ⎥ + infinitivo
tienes que ⎥
no puedes ⎦

10 ¿Qué tal ayer en el cine?
Completa la tabla y luego el diálogo con la forma adecuada de algunos adjetivos.

adjetivo	-ísimo/-a
interesante	
	grandísimas
pocos	
	facilísimas
rico	
	cansadísima
buena	

• ¡La película de ayer fue ....!
○ Bueno, estuvo bien, pero nada especial.
• ¿Y la sala del cine? ¡Era ....!
○ ¿Tú crees? A mí me pareció normal.
• ¿Y el bocadillo que comimos después? ¿No estaba ....?
○ Sí..., estaba ...., pero el pan estaba duro.
• Carmen, ¿estás .... o de mal humor?

11 a. Marca en el texto sobre los malentendidos todos los ejemplos de buen y gran y completa la tabla.

	grande	bueno/-a	malo/-a
masculino	un .... vino	un **buen** amigo	hace **mal** tiempo
femenino	una **gran** sorpresa	una .... idea	no es .... idea

Las formas abreviadas de estos adjetivos se usan cuando preceden al sustantivo. Fíjate en el cambio de significado:
un gran libro *(calidad)*
un libro grande *(tamaño)*

 9, 10

b. Piensa en un ejemplo para cada caso y completa con buen, gran o mal en la forma adecuada. Luego, en parejas, di tus ejemplos. Tu compañero reacciona.

una *gran* actriz: *Penélope Cruz*   un .... trabajo: ....
un .... libro: ....   un .... día: ....
una .... película: ....   un .... consejo: ....
un .... amigo: ....   un .... ejercicio: ....

• Penélope Cruz es realmente una gran actriz, me gusta mucho.
○ ¿De verdad? Pues, no sé…

reaccionar

¿De verdad?
¿Tú crees?
¡No me digas!
Tengo lo mismo.

2 ¡Qué amable!

Tarea final Guía del invitado cortés

La oficina de turismo de tu ciudad te ha pedido escribir una pequeña guía para hispanohablantes que están invitados a una fiesta en tu país.

1. ¿Qué conviene hacer o no hacer en tu país cuando se recibe una invitación? Aquí tienes algunos aspectos que puedes tener en cuenta:

   ser puntual | llevar un regalo | llevar flores | abrir el regalo | comer todo lo que le ofrecen | hablar de la familia | hablar del sueldo | hablar del trabajo | ayudar en la cocina | vestirse bien | quitarse los zapatos | cuánto tiempo quedarse | cómo despedirse | …

2. Escribe ahora la guía con algunos consejos.

3. Finalmente, se exponen los textos en clase. ¿Son parecidos o hay muchas diferencias?

Portfolio
Guarda el "Manual de supervivencia" en tu dosier.

Manual de supervivencia

- *Si alguien te invita su casa, es importante ser puntual.*
- *Si quieres llevar algo, …*
- *…*

La clave está en el pasado

Capítulo 5: Una confesión

Ya sabíamos que Antonio, el vigilante, no decía la verdad. Esta fue su confesión:
– Es verdad, yo ayudé a los ladrones a robar "la fórmula".
– ¿Quiénes son los ladrones?
– La banda de los "monolingües", a la que también pertenezco.
– ¿Los monolingües?
– Sí. Somos un grupo de personas que odian las lenguas.
– ¿Por qué?
– Porque sirven para comunicar, para conocer nuevas culturas, para poder viajar por el mundo, para hacer amigos…
– ¡Pero todo esto es positivo!
– No para nosotros. Lo odiamos.
El vigilante hablaba como un fanático.
– Nuestro objetivo es boicotear el aprendizaje y…
En ese momento una flecha se clavó en el brazo de Antonio. La flecha contenía "preteritina", una droga que borra las conjugaciones de los pasados de la memoria. Su efecto es inmediato. Esto es lo que el vigilante contó después:
– La banda *nacer* hace dos años. La *fundar* Juan Silencio. Antes Juan Silencio *ser* una apasionado de las lenguas. Él *poder* pasar horas haciendo ejercicios, *encantarle* los textos en otras lenguas, siempre *escuchar* diálogos y *cantar*… Pero un día *tener* una experiencia traumática: él *hacer* un ejercicio mal en clase y su profesor *reírse* de él. Entonces *perder* su amor por las lenguas y *empezar* a odiarlas. Por eso *decidir* boicotear el aprendizaje de lenguas: arrancar páginas de los diccionarios, escribir reglas falsas en las gramáticas y ahora, su golpe maestro: ¡ha robado "la fórmula"!

No tengo tiempo de escribir los verbos en su forma correcta porque tengo que seguir a la persona que ha disparado la flecha. ¿Puedes corregir la confesión?

De fiesta

El Velorio de Cruz de Mayo (Venezuela)

Hola, me llamo Silvia Colina y soy venezolana.

¿Una fiesta de mi país? Pues una fiesta fascinante y que, además, se celebra en todo el país es el Velorio de Cruz de Mayo, que empieza el tres de mayo y puede durar todo el mes. Aunque es una fiesta religiosa, también hay mucha diversión.

Como en muchas fiestas de Latinoamérica, en el Velorio de Cruz de Mayo se unen elementos cristianos con antiguas tradiciones prehispánicas. Según la leyenda, la cruz de Cristo se encontró el día tres de mayo del año 324. Esta fecha coincide con una fiesta indígena para celebrar la primavera y la época de lluvias. Es el culto a la Madre Tierra y al dios maya Xipetotec. La cruz siempre formaba parte de las culturas prehispánicas, simbolizaba la vida, por esto una fiesta con una cruz no significó nada nuevo.

Cuando se celebra el Velorio de Cruz de Mayo, se decoran cruces con papel de seda y se ponen en un altar decorado con sábanas blancas o azules que simbolizan el cielo, y claro, con muchas flores, plantas y velas. Las cruces están en lugares públicos o en la calle, donde todos pueden verlas.

Llevamos ofrendas de flores y frutas y cantamos canciones religiosas o profanas delante del altar. Por supuesto en una fiesta no puede faltar la comida y la bebida, así que cada uno trae un plato tradicional, y cerca de la cruz comemos y bebemos. Lo más típico es caldo de gallina, bollitos de maíz, queso blanco y dulces. ¡Hmm! ¡Qué rico! Para beber no puede faltar el café, para mantenerse despierto, y también bebidas alcohólicas como ron y cerveza.

A los venezolanos nos gusta mucho la música, por eso una fiesta sin música y baile no es fiesta. El Velorio de Cruz de Mayo es una fiesta religiosa, sí, pero después llega la música y el baile, y el velorio se convierte en "el bailorio". En mi ciudad, Santa Teresa del Tuy, se baila "el tambor". Los ritmos y los instrumentos musicales son diferentes en cada región, pero todos compartimos las ganas de disfrutar y pasarlo bien.

- *¿Conoces otras fiestas religiosas? ¿Y otras fiestas en mayo?*
- *¿Crees que se están perdiendo las fiestas tradicionales?*

Xipetotec

Velorio de Cruz de Mayo, dibujo de Anton Goering, 1892

Vamos al parque

PIDANOS EL CIELO.
PIDANOS EL MAR.
PIDANOS LAS ESTRELLAS

3

animales y diferentes tipos de paisajes • organizar una excursión • expresar alegría y tristeza • mantener una conversación telefónica • dar instrucciones • expresar prohibición y obligación

1 **a.** ¿Qué se ve en el anuncio de la página de la izquierda? ¿Puedes describir los diferentes paisajes?

b. ¿A qué tipo de empresa crees que pertenece el anuncio?

☐ una compañía aérea
☐ una fábrica de puertas
☐ una oficina de turismo

c. Mira las imágenes de esta página y responde las preguntas.

¿Qué tienen en común las dos señales que aparecen?
¿Qué indica cada una?
¿En qué otros lugares puede haber señales como estas o del mismo tipo?

3 Vamos al parque

Doñana: un paraíso natural

En todoterreno o en barco descubra con nosotros uno de los parques naturales más impresionantes de Europa: DOÑANA, Tel. +34 959 430 432
www.donanavisitas.es

El parque

¿Sabe dónde se encuentra la mayor reserva ecológica de Europa? En Andalucía. Es el Parque Nacional de Doñana, en las provincias de Huelva, Sevilla y Cádiz, que desde el año 1994 es Patrimonio de la Humanidad.

Sus pájaros

Doñana, con sus diferentes paisajes, es un lugar ideal para muchísimas especies de animales y plantas: pájaros, reptiles, peces… ¿Sabe cuántos pájaros pasan por Doñana en su emigración de Europa a África? ¡300.000! De todos los colores, grandes y pequeños. Imagine el cielo cubierto de flamencos de color rosa. ¡Un espectáculo único!

Un paraíso en el sur de España

2 a. El Parque Nacional de Doñana.
¿Sabías que España es uno de los países europeos con más variedad de animales y paisajes? Lee el texto de arriba. ¿Te gustaría visitar el Parque Nacional de Doñana?

b. Lee otra vez el texto y apunta todas las palabras relacionadas con paisajes y animales.
¿Puedes añadir más ejemplos en cada grupo?

paisajes: ....
animales: ....

3 ¿Eres amante de la naturaleza?
Marca tus respuestas en este cuestionario. Luego compara con dos compañeros.

¿Eres un amante de la naturaleza?	sí	no
1. ¿Te gusta trabajar en el jardín?	☐	☐
2. ¿Tienes plantas o flores en tu casa?	☐	☐
3. ¿Puedes identificar más de tres árboles por sus hojas?	☐	☐
4. ¿Tienes un animal de compañía?	☐	☐
5. ¿Tienes un acuario?	☐	☐
6. ¿Ves programas sobre animales en la tele?	☐	☐
7. ¿Conoces la diferencia entre el elefante africano y el indio?	☐	☐
8. ¿Has ido al zoo o a un jardín botánico este año?	☐	☐
9. ¿Conoces algún parque natural en tu país?	☐	☐
10. ¿Te gusta hacer excursiones a la montaña?	☐	☐

3

Sus paisajes

En Doñana encontramos una gran variedad de paisajes: playas, bosques de pinos de un verde intenso y dunas de arena como en el desierto. Y también agua. Agua salada del mar en las marismas y agua dulce en los lagos y ríos. Un paraíso para la vida.

El lince

Este animal tan bello es el lince ibérico. Se llama así porque sólo se encuentra en la Península Ibérica. Por desgracia, está en peligro de extinción, sólo quedan pocos ejemplares. Por eso hay programas en España y Portugal para protegerlo. El lince ibérico es el símbolo del Parque de Doñana y del deseo de conservar su naturaleza única en el mundo.

Visitar Doñana es conocer uno de los paisajes más bellos de Europa. Un patrimonio que debemos cuidar y conservar.

4 a. Rafael Piedra quiere hacer una excursión a Doñana con unos amigos. ▶▶ 22
Escucha la reserva telefónica y completa el formulario.

Reserva de visitas Parque Nacional de Doñana

Fecha:
Número de personas:
Duración del recorrido:
Medio de transporte:
Precio:

b. Quieres hacer la siguiente excursión.
Escribe un correo para informarte y reservar las plazas. Añade dos preguntas más.

hacer la reserva para una excursión

Quiero hacer una reserva para…
¿Quedan plazas libres el dos de agosto?
¿Cuánto tiempo dura el recorrido?
¿De dónde sale el todoterreno / el autobús / el barco?

 1, 2

El Cañón del Sumidero en Chiapas (México)

¿Le gusta la aventura? ¿Quiere ver un paisaje fascinante?
¿Ver cocodrilos, monos y pájaros exóticos en libertad?
Venga al Cañón del Sumidero. Una aventura inolvidable.
Salidas diarias a las 10:00, 13:00 y 16:00h

Reservas por teléfono +52 442 212 2899 o www.andalemexico.com

3 Vamos al parque

expresar alegría

¡Qué alegría!
¡Cuánto me alegro!
¡Estupendo!
¡Qué bien!

lamentarse por algo

¡Qué pena!
¡Lástima!
¡Qué mala suerte!

¿Recuerdas?

En los países hispanohablantes no se dice el nombre al contestar al teléfono.

 3, 4

5 a. Rafael llama a sus amigos para decirles que ha hecho la reserva. 23 – 25
Escucha y marca cómo reaccionan. ¿Cuáles de las expresiones de la izquierda utilizan?

	se alegra	se lamenta	¿Cómo lo dice?
Isabel			
La madre de Mariluz			
Enrique			

b. Vuelve a escuchar las llamadas.
Marca en la tabla las frases que escuchas.

hablar por teléfono

¿Puedo hablar con…?
¿De parte de quién?
¿Quiere dejarle algún recado?
Ahora mismo le paso.
Lo siento, se ha equivocado de número.
En este momento no está.
Este es el contestador automático de…

c. En parejas. Escribid un diálogo siguiendo estas instrucciones.
Después, poneos de espaldas y leed el diálogo.

A
- Marcas el número 32 68 94.
- Quieres hablar con el Sr. Rodríguez.
- Te presentas.
- Dices que has reservado las entradas de teatro para el domingo que viene.
- Das las gracias y te despides.

B
- Descuelgas.
- Preguntas por la persona que llama.
- Das una disculpa (ahora mismo no está en su despacho) y preguntas si quiere dejar un mensaje.
- Le dices que se lo dirás.

No busques excusas

6 a. Dos agencias de publicidad proponen estas campañas de sensibilización ecológica. ¿Qué objetivo tienen? ¿Cuál te gusta más?

**No busques siempre excusas.
Sólo tienes que cambiar un poco tus costumbres.**

- No te bañes, dúchate y ahorra agua.
- No enciendas todas las lámparas de tu casa.
- Separa los diferentes tipos de basura.
- No uses la calefacción y el aire acondicionado en exceso.

¿Ves qué fácil?

Ministerio de Medio Ambiente

¿El futuro? ¡No es tu problema!

★ No ahorres agua. Hay suficiente.
★ No separes la basura. Es mucho trabajo.
★ No tomes el autobús. ¿Para qué tienes coche?
★ En invierno pon la calefacción muy alta, no eres un pingüino.
★ En verano usa siempre el aire acondicionado.
★ Gasta, tira, consume, contamina. Sé egoísta.
★ Recuerda: tú eres el centro del universo.

Asociación Pro-Natura

30 | treinta

b. ¿Qué hay que hacer según los anuncios para cuidar el medio ambiente?

no buscar excusas, ahorrar agua…

c. ¿Y tú? ¿Qué haces para cuidar el medio ambiente?

7 a. El imperativo negativo.
Subraya en los anuncios todas las formas del imperativo. ¿Observas alguna diferencia entre las formas que ya conoces y las negativas? Marca en el cuadro las formas que son diferentes del imperativo afirmativo.

	-ar	-er/-ir	cambio vocálico	irregular	
tú	no tom**es**	no beb**as**	no enc**ie**nd**as**	decir:	no digas…
vosotros	no tom**éis**	no beb**áis**	no encend**áis**	hacer:	no hagas…
usted(es)	no tom**e(n)**	no beb**a(n)**	no enc**ie**nd**a(n)**	ir:	no vayas…

Para formar el imperativo negativo podemos tomar como base la primera persona del presente de indicativo. Los verbos en **-ar** llevarán terminaciones con **-e** (pasar: no pas**es**), los verbos en **-er** e **-ir** terminaciones con **-a** (no beb**as**).
Los pronombres están entre el **no** y el verbo:
No se lo digas.

b. En parejas. Uno dice un imperativo afirmativo de estos verbos en la forma de tú.
Tu compañero dice el imperativo negativo correspondiente. Después, al revés.

pasar | comer | tocar | hablar | mirar | beber |
abrir | poner | venir | ir | hacer | entrar

● Mira.
○ No mires. Come.

c. Escribe un cartel con instrucciones para el Parque de Doñana.
¿Qué hay que hacer y qué no?

- hacer ruido
- hacer fuego
- tirar basura
- dar de comer a los pájaros
- ir solamente con guía
- seguir las instrucciones del guía
- llevar animales
- tocar los animales
- coger flores o plantas

Instrucciones para el parque
No haga ruido.

8 Recuerdos de viajes y excursiones.
En parejas. Inventad un anuncio de publicidad como el de la pág. 26 para estos objetos.

5-7

treinta y uno | **31**

3 Vamos al parque

Los parques, los pulmones de la ciudad

9 a. Escucha lo que dice una peruana sobre su parque preferido. ▶▶ 26
¿Cómo se llama el parque? ¿Dónde está? ¿Desde cuándo existe? Luego escucha otra vez y marca lo que hay en este parque.

- ☐ una fuente
- ☐ un estanque
- ☐ un quiosco
- ☐ un café
- ☐ bancos
- ☐ árboles
- ☐ césped
- ☐ una estatua
- ☐ caminos

b. ¿Hay parques en tu ciudad? ¿Te gusta ir? ¿Qué se puede hacer?
Tienes tres minutos para escribir actividades que se pueden hacer en un parque.

10 a. En un parque.
Observa este parque durante un minuto. Luego cierra el libro e intenta recordar el máximo de informaciones: ¿Qué hay? ¿Qué están haciendo las personas?

b. Elige a una persona del parque y piensa en una frase que puede decir.
Luego lee tu frase. Tus compañeros tienen que adivinar quién la dice.

c. Escucha estas conversaciones en el parque y relaciónalas con las personas. ▶▶ 27–30

8, 9

11 **a. Lee ahora los diálogos y marca las palabras que indican posesión.**

1. ● Oye, ¿aquel niño es tu nieto?
   ○ No, el mío es el rubio.
   ● ¿Aquel al lado del árbol?
   ○ Eso es un perro. Mi nieto está allí, en el banco. Ponte las gafas, Mariano.

2. ● Esta pelota es mía.
   ○ No, la tuya es aquella, la roja. Esta es la mía.

3. ● Perdone, ¿ese perro es suyo?
   ○ No, es de aquella pareja de enamorados.

4. ● ¿Dónde están Luis y Pablo?
   ○ Allá, jugando al fútbol.

b. Ya conoces los posesivos mi, tu, su... **Mira los ejemplos.**
¿Qué diferencia observas con mío, tuyo, suyo...? **¿Hay formas iguales?**

los pronombres posesivos

mío/-a/-os/-as
tuyo/-a/-os/-as
suyo/-a/-os/-as
nuestro/-a/-os/-as
vuestro/-a/-os/-as
suyo/-a/-os/-as

- ● **Mi** hijo ya habla.
- ○ **El mío** todavía no.

- ● ¿Esa pelota es **tuya**?
- ○ No, **la mía** es roja.

c. Escribe el primer y segundo diálogo de 11a cambiando nieto **por** nieta **y** pelota **por** camiones. **¿Qué más palabras cambian?**

d. Marca en los diálogos las palabras que indican distancia.
¿Cómo se dicen en tu lengua?

Este de **aquí**.
Ese de **ahí**.
Aquel de **allí**.

	masculino	femenino
singular	aquel	aquella
plural	aquellos	aquellas

¿Recuerdas?

Al alcance de la persona que habla: **este**
Más lejos para el que habla y más cerca para el que escucha: **ese**
Lejos para ambos: **aquel**
En correlación: **aquí, ahí, allí**
En Latinoamérica: **acá, allá**

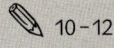

10 - 12

12 **a. Un paseo por un parque imaginario.** ▶▶ 31
Cierra los ojos, relájate y escucha. Imagínate los detalles lo más concretamente posible.

b. Toma notas de lo que "has visto". Luego, en parejas, comparad vuestros parques.

¿Cómo es la estatua?
Y los bancos, ¿cómo son?
¿Cómo es el árbol?
¿Hay muchos árboles en tu parque?
¿Hay mucho césped o no?
¿Qué tipo de gente hay?
¿Qué están haciendo?

Oímos ruido de agua, ¿es una fuente o un río?
¿Tocas el agua o sólo la miras?
¿Dónde te sientas? ¿Qué haces?
¿Cómo vuelves a casa?
¿Te ha gustado el paseo?

● Mi parque era grande.
○ El mío también.

3 Vamos al parque

Portfolio
Guarda los documentos del parque (plano, cartel, eslogan) en tu dosier.

Tarea final   Diseñamos un parque

Vais a planificar un parque. Podéis gastar 10 000 €.
1. En grupos de tres. Decidid las cosas que va a tener vuestro parque y dibujad un plano.

Artículo	Unidad	Precio
Fuente:	1	500 €
Banco:	1	180 €
Árbol:	1	30 €
Césped:	m²	3 €
Quiosco:	1	1.000 €
Planta exótica:	1	20 €
Pájaros exóticos:	la pareja	120 €
Papelera:	1	65 €
Servicios:	1	1.500 €

prohibición y obligación
está prohibido
(no) hay que
(no) se debe
Imperativo

2. Escribid un cartel con lo que está prohibido hacer en el parque. Buscad también un eslogan para animar a vuestros compañeros a visitarlo.

3. Cada grupo presenta su parque y muestra el plano. Los otros pueden hacer preguntas.

La clave está en el pasado

Capítulo 6: Así fue

Salí del Museo de la Ciencia y vi a alguien que corría por la calle. Llevaba unos pantalones y un jersey negros, guantes y una máscara en la cara. En ese momento pensé: "Es la persona que ha drogado a Antonio, el vigilante, con preteritina."
Empecé a correr también. La persona con la máscara era muy rápida. Pero por suerte yo hago deporte varias veces a la semana, así que la alcancé. Le quité la máscara. Era una mujer.
– ¿Quién es usted? – le pregunté mientras llamaba a la policía con el móvil.
– Me llamo Carmen Sinabla.
– ¿Por qué le ha dado la droga al vigilante? ¿Cómo robaron "la fórmula"?
– No voy a decir nada.
De pronto, sacó unos comprimidos del bolsillo de los pantalones, me miró y dijo:
– Nuestra banda conoce muchas drogas especiales para boicotear los idiomas. Esta se llama "indefinina".

Después de tomarla, es imposible conjugar los indefinidos irregulares.
– ¡Oh! ¡No!
No pude hacer nada. Se la metió en la boca. Repetí mi pregunta:
– ¿Cómo robaron "la fórmula"?
– Robar la fórmula *serió* muy fácil. Cuando *sabimos* que "la fórmula" estaba en el museo, *estabimos* observando el edificio durante varias semanas. Después *podimos* introducir a uno de los miembros de la banda, Antonio, como vigilante. Él nos *deció* a qué hora teníamos que entrar en el museo y así lo *hacimos*.
– ¿De quién fue la idea?
– Del jefe, de Juan Silencio.
– ¿Dónde está ahora "la fórmula"?
– La tiene él.

Esta vez la banda de los monolingües tampoco va a lograr sus objetivos. Estoy segura de que tú, mi asistente, puedes poner orden en este caos mientras yo hablo con la policía.

De fiesta

La Noche de San Juan

Noche. Fuego. Fuego en la playa, gente bailando y cantando. En toda España se celebra una fiesta de fuego. ¿Sabes qué día es? San Juan, la noche más corta del año. Esta fiesta antiquísima se celebra en muchos países en la noche del 23 al 24 de junio. Si alguien mira desde el cielo, ve miles de hogueras que iluminan las costas de todo el mundo, desde Noruega hasta el norte de África, desde Bolivia hasta mi tierra: Galicia.

Hola. Me llamo Leonor y soy de La Coruña. Aquí, en mi ciudad, la fiesta de San Juan es la más importante de todo el año. En esta noche mágica se mezclan rituales, tradiciones y supersticiones. Hay muchas leyendas que se cuentan

una gaita

las sardiñadas

de generación en generación. Una de ellas dice que los demonios y las *meigas* (así se llaman las brujas en gallego) salen esta noche para recibir al verano. ¿Brujas? Sí, son muy populares aquí. Por eso es tan importante encender hogueras por todas partes porque se dice que el fuego nos protege de ellas. También se dice que los enfermos se curan o que las mujeres pueden saber el futuro. En Galicia se suele decir de las brujas: "Haberlas, haylas."

En realidad la fiesta comienza casi un mes antes, cuando empezamos a recoger madera para la hoguera de nuestro barrio, que tiene que ser la más grande, claro. El día 23 por la mañana se ven muchas mujeres volver del mercado con un ramo de hierbas aromáticas. Según la tradición, hay que poner el ramo en agua durante la noche. Al día siguiente se usa este agua para lavarse la cara y las manos y así protegerse contra las enfermedades durante todo el año.

Por la tarde empieza la gran fiesta en las calles con grupos folclóricos y bandas de música. A mí personalmente me gusta mucho escuchar la música de las gaitas, el instrumento tradicional de Galicia. También se come y se bebe. La comida típica son las "sardiñadas" (ya te imagina qué es, ¿no?) que se preparan en la puerta de muchos bares. El olor del delicioso pescado se respira por toda la ciudad.

A las doce en punto se enciende la hoguera mayor en la playa y se canta y se baila alrededor de ella. Algunos, los más valientes, saltan por encima del fuego gritando *Meigas fóra!* ("¡Fuera brujas!") para alejar a los malos espíritus. Otros piden un deseo, porque se dice que los fuegos de San Juan tienen también propiedades mágicas. ¿Es verdad? No lo sé, pero, por si acaso, yo siempre pido uno.

- ¿Se celebra la Noche de San Juan en tu ciudad o en tu país? ¿Cómo?
- ¿Conoces alguna superstición?
- ¿En qué ocasiones se pide un deseo en tu país?

la hoguera de San Juan

Mirador

Hemos pasado la mitad del libro. Ha llegado el momento de hacer una pausa y reflexionar desde el mirador sobre lo que hemos aprendido hasta aquí.

Hablamos de cultura: la cortesía

1 a. ¿Qué haces o no haces tú?
Marca una alternativa según tu opinión. No hay respuestas correctas o erróneas. Luego lee el texto y compara con tus respuestas.

b. Escucha a unos hispanohablantes que hablan de la cortesía. ▶▶ 32
Compara con tus respuestas en el cuestionario. ¿Hay diferencias? ¿Y entre las personas que hablan?

Esta es tu casa

La cortesía es el arte de comportarse amablemente. Existe en todas las culturas, pero cada una la expresa de una manera diferente.

Un ejemplo del mundo hispano: estás invitado a una fiesta. Allí vas a escuchar muchas frases como "¡Qué bien te veo!" o "¡Qué guapa estás!", que se dicen por cortesía. No se trata de decir la verdad o mentir.

Cuando llega la hora de despedirse, seguramente el anfitrión va a decir: "¿Pero ya te quieres ir? ¡Si es muy pronto!" De esta forma te quiere decir que tu compañía es agradable. En realidad, puedes irte tranquilamente y dar alguna excusa como "Ya es muy tarde." o "Mañana tengo que levantarme temprano." Otra frase muy usual en la despedida es "Vuelve cuando quieras, esta es tu casa." si se trata de la primera vez que vas. Eso puede llevar a malentendidos porque no hay que tomarlo literalmente. Es simplemente una fórmula de cortesía.

¿Quieres un buen final para despedirte de forma cortés? "¡La próxima vez, en mi casa!"

4

similitudes y diferencias culturales • autoevaluación • una imagen como actividad de expresión oral • estrategias de aprendizaje

Ahora ya sabemos...

Aquí tienes la posibilidad de valorar lo que has aprendido. Marca el nivel que crees tener en cada tema. Luego haz las tareas y compara los resultados con los de tu compañero o pregunta al profesor si no estás seguro.

2 En un mercadillo o en una tienda. 😊 😐 ☹️
¿Qué dice el vendedor o la vendedora? ¿Y qué dice el cliente o la clienta?

1. Es una buena oferta, paga dos y se lleva tres, ¿qué le parece?
2. Lo siento, no tenemos tallas más grandes.
3. Me pruebo las dos, ¿dónde están los probadores?
4. ¡No puede ser! ¡Pregunté hace una hora y había todavía dos!
5. Me encantan, pero me quedan un poco estrechos.
6. Las camisetas están allí, al lado de las camisas.
7. Quería unos pantalones de algodón para el verano.
8. ¿Me los pueden reservar durante dos horas, por favor?
9. ¡Pantalones, chaquetas de caballero, de señora, de niño! ¡Todo barato, muy barato!
10. Le queda muy bien. También lo tenemos en amarillo, si lo prefiere.

3 Informarse para una excursión. ⏭ 33 😊 😐 ☹️

Lee estas respuestas. Después escucha las preguntas 1–4 y pon el número en la respuesta adecuada.

- ☐ Soy Felipe Herrera, de la agencia de viajes "TodoTurismo".
- ☐ Sí, pero reservar por teléfono es mucho más seguro.
- ☐ 230 euros, e incluye las dos comidas.
- ☐ Sí, tiene dos posibilidades: en inglés o alemán. ¿Cuál le interesa a usted?

Ahora haz lo mismo con las preguntas 5–8. ⏭ 34

- ☐ Del aparcamiento principal, directamente delante de la empresa.
- ☐ En este momento no está. ¿Quiere dejarle un recado?
- ☐ Para esos días no, lo siento, sólo quedan para el día siete y ocho.
- ☐ Entre 5 y 6 horas si hace el camino al lago, o dos días si recorre también los bosques.

4 Hablar de un parque o un paisaje. 😊 😐 ☹️
En parejas. Elige un parque o un paisaje y descríbelo. Tu compañero lo dibuja. Luego, al revés. ¿Reconocéis vuestros parques o paisajes?

5 Escribir una invitación. 😊 😐 ☹️
Quieres invitar a tus compañeros de clase a una fiesta. Escribe la invitación mencionando estos aspectos.

- motivo de la fiesta
- lugar, fecha, hora
- colaboración para la fiesta (ensalada, pastel, vino…)
- confirmación de asistencia

treinta y siete | 37

4 Mirador

Terapia de errores

6 **a. Errores visibles e invisibles.**
Lee los dos textos y marca en ellos los errores.

Querido señor Conde:

Quería informarme sobre las excursiones a Sierra Nevada que organiza suya empresa. Me gustaría saber si se quedan plazas libres en el agosto y cuál oferta hay para grupos numerosos.

Un abrazo,
Jorge Palacios

Estimados amigos:

Tengo el placer de invitarvos a mi cumpleaños el jueves. Si alguién puede llevar música, genial ☺. Yo tengo nada. Mis discos regalé a mi ex-novia. No os olvidéis: jueves en la casa mía a las 22.00 en punto.

Atentamente,
Fernando

b. ¿Cuántos errores has encontrado?
¿Has notado que no todos son de gramática o de ortografía? A veces decimos cosas que son correctas, pero no son adecuadas en esa situación. Vuelve a leer las cartas. ¿Qué errores de adecuación encuentras? Luego reescribe las dos cartas en su estilo adecuado. Así tienes un modelo para tu portfolio.

Una imagen que da que hablar

7 **a. Mira el cuadro. ¿Qué título le puedes poner?**
Luego en parejas, escribid un diálogo entre dos personas del cuadro.
Tus compañeros adivinan quiénes están hablando.

b. ¿Cómo te imaginas la fiesta?
Toma notas, teniendo en cuenta los siguientes aspectos. Después describe la fiesta. Tienes que hablar por lo menos dos minutos.

¿Cuál es el motivo de la fiesta?
¿Quién es el anfitrión?
¿Qué tipo de música tocan los músicos?
¿Qué hay para comer y beber?

José Morillo: República Dominicana 2009

Aprender a aprender

8 **a. Antes de leer.**
El aspecto exterior de un texto ya nos da información y con eso hacemos predicciones sobre el contenido. En nuestra lengua lo hacemos automáticamente, en español necesitamos un poco de entrenamiento.
¿Qué predicciones puedes hacer sobre el texto de abajo? Comparad vuestras ideas.

¿Qué información te da la foto?
¿Qué información te da el título?
¿Qué tipo de texto es (artículo, cuento, entrevista…)?

¿Qué información esperas encontrar?
¿Qué sabes del tema?

b. Primera lectura.
Para una primera lectura activa conviene concentrarse en estos aspectos.

¿Qué palabras entiendes?
¿Hay palabras internacionales, cifras, nombres, etc.?
¿Cuáles son las palabras clave?

ÉXITO DE LAS COOPERATIVAS DE COMPRA

Lo 'bio' está al alcance de todos

La producción de alimentos ecológicos ha crecido un 15 % en España.

Un 30% de los consumidores españoles compra de vez en cuando o regularmente alimentos ecológicos. Este boom está relacionado con las cooperativas de compra. Son personas que se unen para comprar verduras o frutas bio directamente de los productores por un precio similar al que se paga por productos convencionales. Se calcula que unas 50.000 familias compran así, y cada mes se crean nuevas cooperativas o asociaciones.

"Los grupos de compra ecológica aumentan", explica Pedro Gumiel, socio de Gumendi, una de las grandes productoras de productos ecológicos. "Cuando empezamos, teníamos que exportar casi toda nuestra producción porque aquí no había consumo. Hoy en día el mercado español absorbe casi todo."

Comprar productos fabricados o cultivados de forma tradicional parece una vuelta al pasado, pero el fenómeno de las cooperativas de compra es algo absolutamente moderno y que utiliza las últimas tecnologías. La cooperativa Gumendi pone cada día la oferta en su página web y los grupos de compra pueden hacer sus pedidos a través de ella.

Adaptado de Tiempo

---

c. Segunda y tercera lectura. ¿Eran correctas tus predicciones?
¿A qué preguntas básicas (quién, qué, dónde, cuándo, por qué) contesta el texto?

d. Después de leer.
¿Qué sabes ahora que antes no sabías? ¿Es suficiente la información general o quieres entender detalles?
¿Puedes resumir el texto en un mapa asociativo?

compra ecológica

¡Nos vemos!
Paso a paso 5
Cuaderno de ejercicios

Índice

1 Lo quiero todo 42

1. Tiendas y productos
2. Pronombres indefinidos
3. El uso de **no**
4. Pronombres de objeto directo
5. Pronombres de objeto directo e indirecto
6. Verbos con el sentido de **dar**
7. Pronombres de objeto directo e indirecto
8. Pronombres de objeto directo e indirecto
9. Completar un diálogo en una tienda de ropa
10. **Qué / cuál/es**
11. Perífrasis verbales: **dejar de**, **empezar a**, **seguir** + gerundio, **seguir sin**, **volver a**
12. Perífrasis verbales
13. Mundo profesional: una reclamación
14. Pronunciar bien: la entonación de las preguntas

Portfolio

2 ¡Qué amable! 49

1. Recursos para felicitar
2. Invitaciones
3. **Ir/venir**, **llevar/traer**
4. Presentaciones
5. Comunicación en situaciones sociales ritualizadas: dar un regalo, presentar a alguien, ofrecer algo, pedir permiso
6. Grado de formalidad: tú o usted. Conceder permiso.
7. Instrucciones para llegar a un lugar
8. Una receta: conjugar verbos en imperativo
9. Superlativo en **-ísimo**
10. Adjetivos: forma correcta y lugar adecuado de **bueno**, **malo**, **grande** y **primero**
11. Mundo profesional: una invitación
12. Pronunciar bien: la acentuación de los verbos

Portfolio

3 Vamos al parque 56

1. Vocabulario: transporte, animales, paisajes y tiempo
2. Una reserva para una excursión
3. Expresar alegría y lamentarse
4. Conversaciones telefónicas
5. Imperativo afirmativo y negativo
6. Consejos en imperativo
7. Consejos en imperativo
8. Corregir informaciones en una postal
9. Completar un anuncio con las formas del imperativo
10. Posesivos
11. Posesivos
12. Demostrativos
13. Mundo profesional: conversaciones telefónicas
17. Pronunciar bien: combinación de palabras

Portfolio

4 Mirador 63

1. Vocabulario y gramática
2. Comprensión auditiva
3. Comprensión lectora
4. Expresión escrita

Lo quiero todo 1

1 **a. Tiendas y productos.**
Relaciona cada producto con la tienda donde normalmente se vende.

papelería | tomates | panadería | pantalones | pollo | frutería | cuaderno | tienda de muebles | carnicería | zapatería | aspirinas | tienda de ropa | perfume | librería | pan | farmacia | naranjas | verdulería | periódico | guía turística | armario | quiosco | sandalias | perfumería

papelería: cuaderno

b. ¿Puedes añadir un producto más en cada tienda?

2 **En el Rastro.**
Completa los diálogos con la forma adecuada de estos pronombres indefinidos.

alguien | nadie | algo | nada | alguno/-a | ninguno/-a

1. • Hola, ¿tiene .... novela de García Márquez?
   ○ No, lo siento. No tengo ....

2. • Oiga, estoy buscando un reloj antiguo para un regalo. ¿Tiene ....?
   ○ No, yo no tengo ...., pero el vendedor de la esquina tiene .... muy bonitos.

3. • Tengo que comprar .... para el cumpleaños de mamá.
   ○ ¿Todavía no le has comprado ....? Oye, ¿y si le compras .... cedé de los años 60?
   • Buena idea, creo que no tiene ....

4. • ¿Has encontrado la revista que buscabas?
   ○ No, ... la tiene.

5. • Bueno, hoy me voy a ir con las manos vacías. Todavía no he comprado ....
   ○ Entonces podemos ir a tomar unas tapas. ¿O quieres buscar .... más?
   • Sí, sí, espera… Quizás .... tiene libros de ciencia ficción.

42 | cuarenta y dos

3 De compras.
Lee estas frases y tacha la palabra **no** si no es necesaria.

1. Nadie ~~no~~ se va del Rastro con las manos vacías.
2. ¿No has comprado nada para Marisa?
3. De esta tienda ningún mueble no me gusta.
4. Han cerrado la tienda porque nadie no compraba ahí.
5. ¿Sabes? Patricia nunca no ha estado en el Rastro.
6. ¿Las chaquetas de piel? Lo siento, no me queda ninguna.
7. No quiero comprar nada aquí.
8. Ningún vendedor de antigüedades no ha venido hoy.

4 Los pronombres directos.
¿A qué se refieren los pronombres de estas frases? Relaciona con las fotos.

1. ¡Qué bonito! ¿Dónde **lo** has comprado?
2. ¡Es guapísima! Me gustaría conocer**la**.
3. ¿Tú cómo **lo** quieres? ¿Con o sin azúcar?
4. **La** necesito esta tarde y no **la** encuentro. ¿Dónde **la** has puesto?
5. Hoy **las** he llevado en coche a clase de ballet.
6. No han llegado todavía. ¿**Los** esperamos en la puerta del cine?

5 Los pronombres directos e indirectos.
Sustituye las palabras marcadas en estas frases según el modelo.
Primero los **objetos indirectos**, después los **objetos directos**.

1. Reservamos **a los clientes las mejores ofertas especiales**.
   <u>Les reservamos las mejores ofertas especiales.</u> – <u>Las reservamos a los clientes.</u>
2. Damos **a nuestros clientes la mejor calidad**.

3. Si no está contento, devolvemos **el dinero al cliente**.

4. Enviamos **a nuestros clientes todas las compras** gratis.

5. Si lo desean, guardamos **a los clientes los regalos de Navidad** hasta el día antes.

6. Ofrecemos **a todos nuestros clientes el servicio de compra por internet**.

1 Lo quiero todo

6 a. Diferentes maneras de dar. Relaciona y escribe la traducción.

regalar ....
prestar ....
devolver ....
enviar ....

- no dar algo personalmente, sino por correo o correo electrónico
- dar en una ocasión especial, p. ej. un cumpleaños
- dar algo por un tiempo y esperar recibirlo otra vez
- darle un objeto prestado a su propietario

b. Este grupo de amigos está dando, devolviendo y prestando cosas. ▶▶ 35–40
Escucha y escribe el objeto del que hablan en cada caso. Después, escucha otra vez y tacha la opción falsa.

1. .... : Se lo presta. / Se lo regala.
2. .... : Se los presta. / No se los presta.
3. .... : Se la devuelve. / No se la devuelve.
4. .... : Se los da. / No se los da.
5. .... : Se lo envía. / Se lo presta.
6. .... : Se la compra. / No se la compra.

7 Todos le piden algo a la recepcionista.
Escribe su reacción utilizando los pronombres adecuados.

1. Señora López, ¿puede enviar estos faxes al Hotel Alfa?
2. ¿Puede prepararme la cuenta de la habitación 38?
3. Perdone, ¿puede dar esta carta a la señora Gutiérrez?
4. ¿Nos puede pedir un taxi, por favor?
5. ¿Puede mostrarme cómo funciona el aire acondicionado?
6. Julia, ¿me puedes dar la llave del garaje?
7. ¿Puedes llevarle este paquete al cliente de la habitación 23?
8. Tienes que reservar una mesa al señor Cuesta en Casa Lucio.

1. Enseguida se los envío.

8 La respuesta de Jaime.
Completa este correo electrónico con los pronombres adecuados.

Hola Malena:
¡Qué ordenada eres! ;-) Ahora el sótano de tu casa va a estar perfecto.
El ordenador viejo no ..me.. .... tienes que devolver. Es demasiado antiguo y ya no sirve para nada. .... puedes tirar. Oye, y los libros... si al final Pablo no .... quiere, ¿............... .... puedes dar a mí? Bueno, a mí no .... gustan los de ciencia ficción, ya .... sabes, pero .... puedo dar a María, para la biblioteca de la escuela. Necesita libros y dice que .... interesan todos.
Voy a ir a tu casa mañana con Marisa y Fran para ayudar............... con las sillas. Si todavía tienes cosas en el sótano, ¿por qué no .... vendes en el Rastro? .... veo mañana.

Un besito, Jaime

9 Completa este diálogo en una tienda de ropa.

- Buenos días, ¿le puedo ayudar en algo?
- (*Le agradeces la atención y le dices que solamente estás mirando*)

  ....

  ....

- (*Pregunta si tienen esta chaqueta en la talla 40*)

  ....

- Aquí la tiene. También la tenemos en azul.
- (*Prefieres la gris y quieres probártela*)

  ....

- ¿Qué tal? ¿Cómo le queda la chaqueta?
- (*Es demasiado grande y preguntas por una talla más pequeña*)

  ....

- Enseguida se la busco… ¿Cómo le queda esta?
- (*Te queda bien y te la llevas*)

  ....

  ....

10 ¿**Qué** o **cuál/es**?
Estas personas buscan regalos para la familia. Completa los diálogos.

1. - Bueno, ¿de .... color prefieres el jersey?
     El rojo es bonito, pero el negro también.
   - Es que me gustan los dos. ¿A ti .... te gusta más?
   - El negro es más elegante.

2. - Oye, y para papá, ¿qué tal un reloj?
   - No sé… A ver, ¿........................ modelos tienen?
   - Estos tres. ¿........................ te gusta más?
   - Pues… ninguno. Pero esas camisetas son preciosas. ¿........................ talla tiene papá?

3. - A mis sobrinos voy a regalarles algunos cedés.
   - Sí, pero ¿........................? ¿........................ grupos les gustan?
   - Pues no sé… para eso te llamo. ¿........................ música les gusta a los chicos de catorce años?
   - Ni idea.

4. - ¿........................ le vas a comprar a tu mujer?
   - Uff. No sé. Es horrible tener que comprar regalos. Mira, una perfumería… Vamos.
   - ¿Pero sabes .... perfume usa?
   - No sé. Voy a comprar uno caro y ya está.

1 Lo quiero todo

11 Algunos antiguos alumnos del colegio se han reunido después de 15 años.
Algunos han cambiado, otros no. Reformula las frases usando estas expresiones.

dejar de | empezar a | seguir + gerundio | seguir sin | volver a

1. Cuando iba al colegio, Alberto no tenía pareja y ahora tampoco tiene.
2. Antes, Bernabé llevaba el pelo largo, ahora ya no.
3. Pilar y Javier salían juntos en el colegio y ahora salen juntos otra vez.
4. Ana y Lucía todavía se ven todos los días, porque trabajan en la misma empresa.
5. Desde hace poco Margarita trabaja de profesora en el colegio.

Alberto sigue...

12 Aquí tienes las notas de un detective que está observando a un hombre.
Escribe qué hace el hombre, utilizando estas expresiones si es necesario.

A las | [reloj] | dejar / empezar / seguir / volver | a / de / sin / — | desayunar / llamar por teléfono / tomar el cava

A las ocho empieza a desayunar en el bar "Manolo".
A las ocho y media...

8.00 desayuna en el bar "Manolo"
8.30 desayuna todavía
9.00 ya no desayuna y llama por teléfono
9.15 llama otra vez por teléfono
9.30 pide una botella de cava
9.45 todavía no toma el cava
9.50 entra una mujer y toman el cava juntos

Mundo profesional

13 Una reclamación.
Lee esta carta y escribe la traducción a tu lengua de las palabras siguientes.

1. la oferta
2. el pedido
3. la reclamación
4. el descuento
5. la factura
6. el importe
7. el artículo
8. el pago
9. el precio de venta al público (PVP)

Estimados señores:

Hemos recibido los *artículos* de nuestro *pedido* del 22 de septiembre. Lamentablemente en la *factura* aparece un *importe* de 547 €, es decir, el PVP sin el *descuento* del 15 % de su *oferta* del 31 de agosto. Pensamos que se trata de un error, por eso no vamos a realizar el *pago* y les pedimos que se pongan en contacto con nosotros lo antes posible.

Atentamente,

Ana María Gutiérrez
Departamento de compras

Pronunciar bien

14 **a. La entonación de las preguntas.**

Por lo general, en español la entonación de las preguntas que se pueden contestar con sí o no es ascendente. En cambio, las preguntas que empiezan con los pronombres interrogativos (**qué**, **quién**, **cuál**, **cuándo**, **dónde**) suenan a menudo como una oración enunciativa, ya que la entonación hacia el final de la frase es descendente.

¿Te gusta ir al Rastro?   ¿Cuál de los dos te gusta más?

b. A escuchar. 41
Dibuja la curva de entonación de cada pregunta y comprueba con el CD.

1. ¿Cuál es tu color favorito?
2. ¿Me lo puedo probar?
3. ¿Puedo pagar con tarjeta?
4. ¿Qué te has comprado?
5. ¿Cuánto cuesta este reloj?
6. ¿Lo tiene en otro color?

Portfolio

Ya puedo/sé...	😄 🙂 ☹
... decir los nombres de las tiendas: frutería, tienda de ropa, ...	☐ ☐ ☐
... decir de qué material es la ropa:	☐ ☐ ☐
... hablar de cómo nos sienta la ropa: La camisa blanca me queda un poco	☐ ☐ ☐
... pedir algo en una tienda de ropa: Necesito una talla .... ¿La tienen también en otro ....?	☐ ☐ ☐
... indicar el inicio, la continuación y el final de una acción: He empezado a .... Sigo .... He dejado de	☐ ☐ ☐

También puedo/sé...	😄 🙂 ☹
... usar pronombres indefinidos: Hoy no he comprado .... ¿Conoces a .... en la clase de español?	☐ ☐ ☐
... usar pronombres indirectos y directos en una misma frase: ¿Ese reloj? .... he comprado a mi hijo.	☐ ☐ ☐
... diferenciar entre **qué** y **cuál/cuáles**: ¿.................... chaqueta compramos? ¿.................... te gusta más?	☐ ☐ ☐
... usar perífrasis con infinitivo: Quiero dejar de .... y empezar a	☐ ☐ ☐
... usar perífrasis con gerundio: Sigo .... español con ¡Nos vemos!.	☐ ☐ ☐

1 Lo quiero todo

Comunicación

Describir la ropa

ancho/-a
estrecho/-a
corto/-a
largo/-a

Decir de qué material está hecho algo

una chaqueta	de seda
	de lana
	de cuero
	de algodón

Indicar el inicio, la continuación y el final

Peret empieza a cantar muy joven.
Pero sigue trabajando como vendedor.
Después de una crisis deja de cantar.
Vuelve a cantar en los Juegos Olímpicos.

Preguntas y expresiones en una tienda

¿Qué talla tiene/-s?
¿Qué número calza/-s?
Está rebajado/-a.
¿Paga/-s con tarjeta o en efectivo?
Sólo quería mirar.
¿Lo / La tiene/-s en una talla más / menos?
¿Lo / La tiene/-s en otro color?
¿Cuánto cuesta?
¿Me lo / la puedo probar?
¿Dónde están los probadores?
¿Lo / La puedo cambiar?
¿Me devuelven el dinero?

Gramática

El uso de qué y cuál/cuáles

¿**Qué** has comprado en el Rastro?
¿**Qué** prefieres: tiendas o mercadillos?
Tenemos blusas y camisetas. ¿**Qué** quiere probarse?
¿**Cuál** es la tienda que está más cerca de tu casa?
Si compra por internet, ¿**cuáles** son sus motivos?
Tengo una blusa de seda y otra de algodón. ¿**Cuál** prefieres?

Se usa ¿qué? para preguntar por la identidad de algo en general o para escoger entre elementos diferentes.
Se usa ¿cuál?/¿cuáles? para preguntar por cosas dentro de un conjunto ya conocido o para escoger entre diferentes cosas dentro de un tipo de elementos:
¿**Cuál** de las blusas te gusta más?
¿**Cuál/cuáles?** nunca va delante de un sustantivo:
¿Cuál blusa quiere?

Perífrasis con infinitivo y gerundio

empezar a hacer
volver a hacer
ir a hacer
dejar de hacer
seguir haciendo
seguir sin hacer

Pronombres indefinidos

invariables
¿Usted colecciona **algo**?
No, no colecciono **nada**.
Quiero comprar **todo**.
Alguien busca libros antiguos.
Nadie sale con las manos vacías.

variables	
todo/-a/-os/-as	**Toda la** ciudad va al Rastro.
	Todos los madrileños compran algo.
alguno/-a/-os/-as	¿Tienen **alguna** revista antigua?
ninguno/-a/-os/-as	Lo siento, no tenemos **ninguna**.

Algo, **nada** y **todo** se refieren a cosas, **alguien** y **nadie** a personas.
Los pronombres variables se refieren siempre a un sustantivo, aunque no se mencione.
Alguno y **ninguno** se convierten en **algún / ningún** cuando preceden a un sustantivo masculino: Buscamos **algún** mueble para la casa.
Cuando **nada**, **nadie** o **ninguno/-a/-os/-as** van detrás del verbo tiene que ir obligatoriamente un **no** delante de este:
Hoy **no** compro **nada**.

Pronombres de objeto directo e indirecto

indirecto	directo	combinados	
me	me	me	
te	te	te	
le	lo, la	**se**	lo/la/los/las
nos	nos	nos	
os	os	os	
les	los, las	**se**	

Los pronombres directos e indirectos solo se diferencian en la 3ª persona. Cuando hay dos pronombres en la frase, el indirecto va delante del directo:
Me lo compro.
Cuando coinciden dos pronombres de 3ª persona, **le/les** se convierten en **se**.
Los pronombres de objeto preceden al verbo; pero, al usar un infinitivo, pueden colocarse justo detrás de este:
Quiero comprár**melo**.

¡Qué amable! 2

1 ¡Felicidades!
¿Qué dices tú en estas situaciones? Hay varias posibilidades.

1. Una compañera de trabajo cumple 55 años.
2. Llamas a un familiar en Navidad.
3. Un amigo va a una fiesta.
4. Alguien te cuenta que se casó hace un mes.
5. Una amiga tiene un examen mañana.
6. Tus vecinos han tenido un bebé.
7. Te encuentras con un vecino el 1 de enero.
8. En una boda, todos beben por los novios.

2 a. Invitaciones.
Lee estas invitaciones. ¿Son formales o informales? ¿Cuál es el motivo de cada invitación?

día del santo | boda | nacimiento | cumpleaños | examen | Año Nuevo | Navidad | mudanza

---

Querid@s amig@s:
¡Nos hemos mudado! La casa es preciosa, ¿no os apetece venir a verla?
Os esperamos el sábado a partir de las ocho.

Besitos,
Paula y Ricardo

Hola a todos:
El sábado cumplo 40 años y me gustaría celebrarlo con vosotros en "El rey de los vinos" a partir de las nueve. Después podemos ir a bailar al "Manila".

Os espero.

Manuel

Sres. Carreras Romay   Sres. Rueda Castaño

Tenemos el gusto de invitarles al enlace matrimonial de

Penélope & Ernesto

que se celebrará el próximo 5 de marzo a las 12.30 horas en la Iglesia de Santa Clara.

A continuación nos reuniremos todos para el cóctel y almuerzo que se servirá en el Hotel Milán.

Se ruega confirmación.

Palencia, 2010

2 ¡Qué amable!

b. Lee esta respuesta. ¿A qué invitación se refiere?
¿Se acepta o se rechaza la invitación? Escribe también una respuesta a una de las invitaciones.

> Hola:
> Lo siento mucho, pero el sábado no puedo ir. Es que voy a pasar el fin de semana en Bilbao con mis padres.
> Bueno, pero quiero ver vuestra nueva casa. Ya quedamos otro día, ¿vale?
> Muchos besos,
> Isabel

3 Completa los diálogos y utiliza ir/venir **o** llevar/traer.

¡_____ A LA FIESTA Y _____ UNA TARTA!

¡YA _____ EDUARDO Y SU AMIGO Y _____ UNA TARTA ENORME!

4 Presentaciones.
Lee estos diálogos y complétalos con las expresiones de la derecha (1–7).

1. • Señora Juárez, ¿conoce a mi madre?
   ○ Pues no, todavía no.
   • Venga conmigo y se lo presento… Mamá, ☐, la vecina del primer piso.
   ■ Mucho gusto.
   ○ ☐.

2. • Édgar, ¿☐?
   ○ No, todavía no.
   • Pues ven. Marcelo, ☐ a Édgar.
   ○ ☐.
   • Mucho gusto.

3. • Señor Iglesias, quiero ☐ a un nuevo colega: Mateo Urquijo, el nuevo jefe de personal.
   ○ Hola, encantado.
   ■ ☐.

1. esta es la señora Juárez
2. conoces a Marcelo
3. Encantada
4. presentarle
5. Encantado
6. Igualmente
7. te presento

5 En una fiesta.
Clasifica las siguientes expresiones y reacciona según el contexto en que se usan.

Te presento a Brígida. | ¿Te importa si llamo a Román? | ¿Te pongo un poco más de vino? | Mucho gusto. | Te he traído una cosita. | ¡Gracias, ¡qué sorpresa! | Sí, pero sólo un poquito. | Llama, llama. | Mira, esto es para ti. | ¿Puedo usar tu móvil? | Esta es mi madre. | Por supuesto, aquí lo tienes. | ¡Pero si no hacía falta! | ¿Te apetece un poco más de ensalada? | Gracias, pero ya estoy lleno. | Encantada.

dar un regalo	presentar a alguien	ofrecer algo	pedir permiso
•	•	•	•
○	○	○	○
•	•	•	•
○	○	○	○

6 a. Celebras una fiesta en tu casa.
Decide si en las frases se habla de **tú** o de **usted** y después escribe la otra variante.

	tú	usted	
1. Toma algo de beber.	x		*Tome algo de beber.*
2. Coma un poco más de tarta.			
3. Deje aquí su chaqueta.			
4. Pasa, pasa.			
5. Ponga música.			
6. Llama un taxi.			
7. Siéntese en el sofá.			
8. Dale el regalo a Juana.			
9. Ponte un poco más de vino.			

b. Hablando con los invitados.
¿Cómo reaccionas a estas preguntas de los invitados? Utiliza el imperativo.

1. ¿Puedo fumar en el balcón?
2. ¿Puedo poner este cedé que he traído?
3. ¿Puedo tomar otro pastel?
4. ¿Te importa si cerramos la ventana?
5. ¿Podemos abrir esta botella de vino?
6. ¿Te importa si llamo un momento a una amiga?
7. ¿Puedo probar las patatas bravas?
8. ¿Te importa si bajamos el volumen de la música?

1. *Sí, claro. Fuma, fuma.*

2 ¡Qué amable!

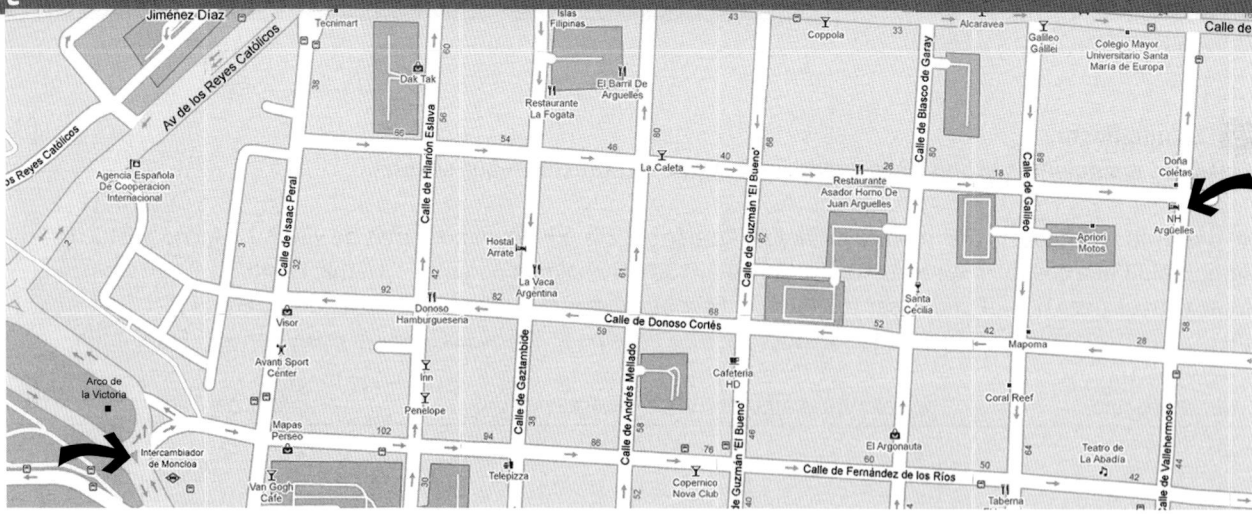

7 **a. Para llegar a la fiesta.** ▶▶ 42
Escucha esta llamada telefónica y marca en el plano el camino que describe Anabel.

b. Ahora tú.
Otro invitado quiere ir a la fiesta desde el Hotel NH Argüelles. Explícale qué camino tiene que tomar, utilizando el imperativo.

8 **En la fiesta hay patatas bravas para comer.**
¿Sabes prepararlas? Es muy fácil. Pon los verbos en imperativo.

> ¿Recuerdas?
> Toma / Tome la calle Mayor.
> Sigue / Siga todo recto.
> Cruza / Cruce la plaza.
> Gira / Gire a la derecha.

Tapas | Patatas bravas

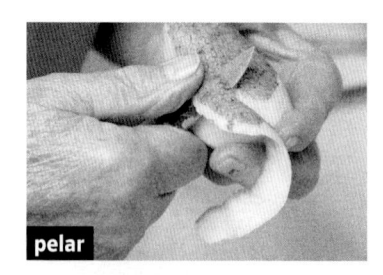

Patatas bravas, una tapa típica

Ingredientes para cuatro personas:

tres patatas
media lata de tomate
una guindilla *(Peperoni)*
vinagre *(Essig)*
aceite de oliva
sal

Preparación

Pelar las patatas y cortarlas en trozos pequeños. Poner las patatas a freír en mucho aceite de oliva. Poner a freír también el tomate con un poco de aceite, añadir un poco de vinagre y la guindilla. Añadir la salsa por encima de las patatas.
¡A comer!

pelar

cortar

freír

52 | cincuenta y dos

9 Superlativos.
Completa con los adjetivos y superlativos correspondientes.

buena	*buenísima*	*mucho*	muchísimo
pocos	....	....	riquísimas
grandes	....	....	elegantísima
largas	....	....	simpatiquísimo
fácil	....	....	viejísimos

> Para mantener la pronunciación original, hay que hacer cambios ortográficos: rico → ri**qu**ísimo, larga → lar**gu**ísima

10 Un buen ejercicio.
Completa las frases con la forma correcta de los adjetivos y escríbelos en el lugar adecuado.

1. • ¿Has visto *El Zorro*? Es una ...*buena*... película ...—... (*bueno*). Tiene mucha acción.
   ○ Sí. Y la verdad es que Antonio Banderas es un .... actor .... (*grande*).
2. • Tiene ya diez años, pero funciona muy bien. Es un .... coche .... (*grande*).
   ○ Sí, pero no es .... idea .... (*malo*) comprar otro nuevo.
3. • ¡Qué .... día .... (*bueno*) hace! ¿Vamos a dar un paseo?
   ○ .... idea .... (*bueno*).
4. • ¿Qué te pasa? ¿Has tenido un .... día .... (*malo*)?
   ○ Sí. Hoy ha sido mi .... día .... (*primero*) de trabajo y ahora necesito una .... siesta .... (*bueno*).

> La **o** final de los números ordinales **primero** y **tercero** desaparece delante de sustantivos masculinos en singular: *el primer autobús, el tercer piso.*

Mundo profesional

11 Una invitación.
Lee la invitación y marca en cada número la palabra correcta.

Modas Mar Azul S.A.

[1] clientes:

Tenemos el placer de [2] a la inauguración de nuestra nueva [3] en la c/ Balmes, 27.
La celebración tendrá [4] el 16 de abril [5] las 20.30 horas.
En este nuevo [6] hemos puesto toda nuestra energía e ilusión y queremos compartirlo con nuestros clientes.

[7] cordiales,

Amparo Alonso, directora general

Se ruega [8].

---

1. ☐ Nuestros
   ☐ Estimados
2. ☐ invitarlos
   ☐ invitarnos
3. ☐ fiesta
   ☐ tienda
4. ☐ lugar
   ☐ sitio
5. ☐ a partir de
   ☐ después
6. ☐ oficina
   ☐ edificio
7. ☐ Saludos
   ☐ Adiós
8. ☐ acción
   ☐ confirmación

2 ¡Qué amable!

Pronunciar bien

12 **a. La acentuación de los verbos.**

> Te habrás dado cuenta de que en los diferentes tiempos algunas formas verbales se distinguen solo por su entonación o acentuación.
> Fíjate, por ejemplo, en el presente (**yo**) y en el indefinido (**él/ella/usted**) de los verbos en **-ar**: *yo compro – usted compró*. Ocurre lo mismo con el imperativo de **usted** y el indefinido de **yo**: *compre (usted) – yo compré*. Por este motivo es importante pronunciar y acentuar correctamente.

b. Escucha algunas frases y marca las formas verbales que escuchas. ▶▶ 43

	1.	2.	3.	4.	5.	6.
presente						
indefinido						
imperativo						

Portfolio

Ya puedo/sé...	☺ ☺ ☹
... expresar buenos deseos y reaccionar: ¡Feliz ....! –	☐ ☐ ☐
... invitar y reaccionar: ¿Te apetece ....? –	☐ ☐ ☐
... entregar un regalo y reaccionar al recibir uno: Toma, te he .... – ¿Por qué ....?	☐ ☐ ☐
... ofrecer algo y reaccionar: ¿Te pongo ....? – Gracias, pero	☐ ☐ ☐
... presentar a alguien y reaccionar: Le presento a .... – Mucho	☐ ☐ ☐
... pedir permiso y reaccionar: ¿Puedo ....? – Sí, claro	☐ ☐ ☐
... hablar de buenas maneras y dar consejos: En un cumpleaños es usual	☐ ☐ ☐

También puedo/sé...	☺ ☺ ☹
... diferenciar el uso de ir/venir y llevar/traer: .... a tu casa y te .... cedés... Mira, te he .... cedés.	☐ ☐ ☐
... formar y usar el imperativo: .... la puerta, por favor. .... este vino.	☐ ☐ ☐
... intensificar el significado del adjetivo usando -ísimo: La comida está buen................. . He comido much.................	☐ ☐ ☐
... usar la apócope: Antonio es un .... amigo. Este es un .... coche.	☐ ☐ ☐

Comunicación

Felicitaciones y buenos deseos

> Feliz Navidad
> Próspero Año Nuevo
> Feliz cumpleaños
> Feliz santo
> Felicidades
> Enhorabuena
> Felices fiestas
> Mucha suerte
> Salud

Invitar

> El sábado celebro mi santo, ¿te apetece venir?
> El sábado doy una fiesta, estás invitado/-a.
> Te escribo para invitarte a…

Aceptar y rechazar invitaciones

> Gracias por la invitación. Voy con mucho gusto.
> Vale, perfecto. ¿Llevo algo para comer o beber?
> Me encantaría ir a tu fiesta, pero…

Dar un regalo y reaccionar cuando nos dan uno

> - Tome, le he traído una cosita.
> ○ ¡Muchas gracias! ¡Pero si no hacía falta!
>
> - Mira, esto es para ti.
> ○ Pero ¿por qué te has molestado?

Ofrecer algo y reaccionar

> - ¿Te/le pongo un poco más?
> ○ Gracias, pero ya he comido mucho.
>
> - Toma/tome un poquito más.
> ○ Muchas gracias, estoy lleno/-a.

Presentar a alguien y reaccionar

> - Cristina, te presento a Frank, un amigo de Eduardo.
> ○ Encantada. / Mucho gusto.
>
> - Mira, Cristina, este es Frank.
> ○ Hola, Frank, ¿qué tal?

Pedir permiso y reaccionar

> - ¿Te importa si abro la ventana?
> ○ ¡Ábrela, ábrela!
>
> - ¿Puedo usar esta servilleta?
> ○ Tome esta otra, esa está sucia.

Romper el hielo / empezar una conversación

> *En una fiesta:* ¡Qué fiesta más divertida!
> *En el tren / autobús:* ¿Sabe si falta mucho para llegar a…?
> *Siempre:* ¡Qué frío / calor hace! ¿Verdad?

Buenas maneras y recomendaciones

> *En una fiesta:* Es normal / usual llevar un regalo.
> *En el tren / autobús:* Tienes que llegar puntual.
> *Siempre:* No puedes quitarte los zapatos.

Gramática

El uso de ir / venir y llevar / traer

> María: "Adriana, **voy** a tu fiesta y **llevo** cedés."
> Adriana: "¡Qué bien! **Vienes** a mi fiesta y **traes** cedés."

Cuando una persona se dirige hacia nosotros (hacia donde estamos), usamos **venir** y **traer**. En los demás casos (movimiento hacia otro lugar diferente de aquel en el que nos econtramos), se usan **ir** y **llevar**.

Gradación del adjetivo: -ísimo/-a/-os/-as

bueno	buenísimo
divertida	divertidísima
grande	grandísimo/-a
tarde	tardísimo
fácil	facilísimo

El sufijo **-ísimo** expresa un grado muy alto o extremo de un adjetivo. Cuando los adjetivos acaban en vocal, esta se cambia por **-ísimo/-a/-os/-as**; cuando terminan en consonante, se añade después. A veces es necesario realizar cambios ortográficos: rico → riquísimo.

Apócope de algunos adjetivos

	grande	bueno/-a	malo/-a
masculino	un **gran** vino	un **buen** amigo	hace **mal** tiempo
femenino	una **gran** sorpresa	una **buena** idea	no es **mala** idea

¡Atención!:
un gran libro *(calidad)*
un libro grande *(tamaño)*.

El imperativo

	pasar	beber	abrir
tú	pasa	bebe	abre
usted	pase	beba	abra
ustedes	pasen	beban	abran

	poner	venir	decir
tú	pon	ven	di
usted	ponga	venga	diga
ustedes	pongan	vengan	digan

	cerrar	probar	pedir
tú	cierra	prueba	pide
usted	cierre	pruebe	pida
ustedes	cierren	prueben	pidan

El imperativo de **vosotros**, se forma cambiando la **-r** del infinitivo por una **-d**: pasa**d**, veni**d**.
Los pronombres se colocan detrás del verbo. Si en la forma resultante el acento recae sobre la antepenúltima sílaba, hay que ponerle tilde: ponte, ábrela.
A veces cambia la ortografía:
empezar → ¡Empie**ce**!

Vamos al parque 3

1 **a. Naturaleza.**
Clasifica las palabras en los grupos siguientes y escribe el artículo correspondiente.

selva | sol | bosque | reptil | desierto | bicicleta | pez | nubes | duna | colibrí | barco | marisma | todoterreno | lince | niebla | pájaro | moto | viento | coche | montaña | nieve

1. transporte: *la bicicleta* ....
2. animales: ....
3. paisajes: ....
4. tiempo: ....

b. ¿Puedes añadir una palabra más en cada grupo?

2 **a. Una reserva para una excursión.**
Completa este diálogo en una agencia de viajes con las palabras siguientes.

dura | excursión | incluida | plazas libres | recorrido | reserva | sale | vacaciones

- Hola, buenos días, ¿qué desea?
- Quiero hacer una .... para la excursión al Parque Nacional de los Picos de Europa el cuatro de septiembre.
- Vamos a ver… Lo siento, pero el cuatro de septiembre no quedan ....
- ¡Qué pena!
- ¿La excursión tiene que ser ese día? La ofrecemos también el día siete.
- El día siete es nuestro último día de .... y queríamos hacer algo más tranquilo, pero no importa. ¿A qué hora .... el autobús?
- A las ocho y media. Sale de la Plaza de España y el viaje .... más o menos hora y media.
- ¿El .... por el parque es muy largo?
- No, unos seis kilómetros. Hay un buen camino al lado del río y el paisaje es fantástico.
- ¿Cuánto cuesta la ....?
- 35 euros por persona y la visita guiada está ....
- De acuerdo. Entonces quiero reservar para dos personas.

56 | cincuenta y seis

b. Escucha esta llamada telefónica que tiene lugar unos días después. ▷▷ 44
Marca las informaciones correctas y corrige las falsas.

1. ☐ La excursión del día siete se va a hacer.
2. ☐ La excursión del día cuatro se ha cancelado.
3. ☐ La agencia de viajes no les puede devolver el dinero.
4. ☐ Los señores Toscano van de excursión.

3 Reacciona a estos comentarios.
Expresa alegría o laméntate. Hay varias posibilidades.

1. • ¿Sabes? Marta no puede venir a la fiesta porque tiene un viaje de trabajo.
   ○ ....

2. • En julio mi mujer y yo vamos a hacer un crucero por el Mediterráneo.
   ○ ....

3. • Queríamos hacer una excursión al Parque de Doñana el sábado, pero no quedan plazas libres.
   ○ ....

4. • Ayer nació nuestro primer nieto, el hijo de Roberta, nuestra hija mayor.
   ○ ....

5. • Juan ha perdido el avión y tiene que pasar la noche en Bilbao. No puede venir a tu fiesta de cumpleaños.
   ○ ....

6. • ¿Vas a la Costa Brava? Pues el paisaje es fascinante. Te va a encantar.
   ○ ....

4 Por teléfono. ▷▷ 45-48
Escucha estas llamadas y marca las situaciones correctas.

1. ☐ Se puede hablar enseguida con el señor Esteve.
   ☐ No es posible hablar con el señor Esteve.

2. ☐ La persona va a llamar otra vez.
   ☐ La persona que llama deja un recado.

3. ☐ Hay un error en el número de teléfono.
   ☐ Andrea no está en casa.

4. ☐ Antonio puede hablar con Sofía.
   ☐ Antonio deja un recado para Sofía.

5 a. Imperativos.
Completa la tabla con el infinitivo y con las formas del imperativo afirmativo que faltan.

	....	beber	....	....	lavarse
tú	paga				
vosotros				poned	
usted			duerma		
ustedes				salgan	

b. El imperativo negativo.
Escribe ahora las formas del imperativo negativo de **tú** y **usted**.

> ¿Te has fijado en que las formas de **usted / ustedes** son iguales para el imperativo afirmativo y negativo: *compre(n) – no compre(n)?*

3 Vamos al parque

6 Consejos para ahorrar agua.
Completa este anuncio usando la forma adecuada del imperativo.

Pon tu gota de agua

- Si te bañas, no *llenes* .... (llenar) toda la bañera, solo la mitad.
- No .... (ducharse) más de diez minutos.
- .... (abrir) el grifo solo el tiempo necesario.
- Mientras te lavas los dientes, no .... (dejar) el grifo abierto.
- .... (lavar) la fruta y la verdura en un plato, no debajo del grifo.
- No .... (poner) la lavadora o el lavaplatos si no están llenos.
- .... (utilizar) agua de lluvia para las plantas del jardín.
- Para lavar el coche no (usar) .... más de diez litros de agua.
- .... (volver) a usar el agua de tu piscina el próximo año.

7 Protege el medio ambiente.
Combina los elementos de estas columnas para dar consejos. Pon los verbos en imperativo afirmativo o negativo de **usted**. A veces hay varias posibilidades.

| (No) | ahorrar
compartir
encender
poner
seguir
separar
tomar
usar | agua
la bicicleta
la basura
las lámparas
la calefacción
la lavadora
el aire acondicionado
las instrucciones
el coche | si hay suficiente luz.
sólo si está llena.
en plástico, papel y vidrio.
en la cocina y en el baño.
si va al mismo lugar que otras personas.
o el transporte público.
a una temperatura de menos de 21 grados.
sólo si hace frío en su casa.
de los aparatos eléctricos. |

8 Una postal de las vacaciones.
Compara la descripción con el lugar de vacaciones y corrige la información de la postal.

Querido Daniel:
Saludos desde Dalacós, un pueblo maravilloso de la costa mediterránea, donde estoy pasando mis vacaciones.
El paisaje que se ve desde mi ventana es fantástico. Hay sólo un hotel pequeño, el mío, en primera línea de playa, y al lado hay un bosque de pinos.
Todo es muy tranquilo aquí porque hay muy pocos turistas. Es estupendo descansar y escuchar sólo el mar y los pájaros, lejos de la gente y del estrés. Tengo mucha suerte, porque es un lugar que la gente no conoce.
Seguro que el año próximo vuelvo aquí otra vez.

Besos,
Valentina

9 a. El Loro Parque.
Lee este anuncio y completa con las formas del imperativo.

LORO PARQUE
El "must" de Canarias

Avenida Loro Parque
38400 Santa Cruz de Tenerife
Tenerife, España
Tel.: 34 922 37 38 41
Fax: 34 922 37 50 21

.... (pasar) el día con su familia y .... (descubrir) un paisaje bellísimo. .... (disfrutar) del espectáculo más famoso de nuestro parque: el espectáculo de los papagayos. .... (descansar) en uno de los siete restaurantes del parque y no .... (olvidar) que en ningún otro parque puede ver más pingüinos. No .... (perderse) nuestros más de 250 ejemplares. .... (preguntar) por nuestros precios para grupos. ¡Vale la pena!

Entradas
Adultos: 31,50 euros; Niños (6-11 años): 20,50 euros

Horario
Todos los días: de 8:30 a 18:45; Última entrada: 16:00

Espectáculos
Delfines: 11:00 / 13:15 / 14:45 / 16:00
Papagayos: 10:25 / 11:50 / 13:30 / 15:00 / 16:00 / 17:30

Cómo llegar
Desde el centro de Santa Cruz, en sólo media hora en el "Gratis express". El tren sale de la Plaza Reyes Católicos cada 20 minutos.

b. Completa estas frases con la información del anuncio.

1. El parque .... todos los días a las ocho y media.
2. Después de las .... no se puede entrar.
3. Para los niños menores de 6 años la entrada ....
4. El primer espectáculo de los delfines empieza a ....
5. El espectáculo de los papagayos se puede ver .... veces al día.
6. El viaje al parque en el "Gratis express" dura .... minutos.

10 ¿De quién es?
Completa con los posesivos adecuados.

1. ● No encuentro mi móvil.
   ○ Pues si tienes que llamar, usa el ....

2. ● Señora Suárez, ¿cómo está su madre?
   ○ Muy bien, ¿y la ....?

3. ● Me encanta tu abrigo nuevo.
   ○ El .... también es muy bonito.

4. ● ¿Fue Maribel a la fiesta?
   ○ Sí, con un amigo .... guapísimo.

5. ● ¿Qué tal vuestras vacaciones?
   ○ Muy cortas, como siempre. ¿Y las ....?

6. ● Un compañero me ha invitado a su casa a cenar.
   ○ ¿Y ese compañero .... sabe cocinar?

7. ● Nuestros hijos hablan muy bien inglés.
   ○ Pues los .... hablan inglés y francés.

8. ● ¿Sabes que Pablo se ha mudado a Bilbao?
   ○ Uff, pues tiene todavía muchos libros ....

3 Vamos al parque

11 Lee estas frases y tacha la forma falsa de los posesivos.

1. • Señores Sánchez, ¿me dejan sus / suyos pasaportes?
   ○ Aquí tiene el mi / mío. Mi mujer no tiene el su / suyo. ¿Hay algún problema?
2. • Julián, ¿es tu / tuyo este abrigo?
   ○ No, mío / el mío es negro.
3. • Adrián, ¡qué bonito es tu / el tuyo piso! Tiene mucha luz.
   ○ Sí, pero es un poco pequeño, ¿no? Tuyo / El tuyo es mucho más grande.
4. • ¿Has visto a Virginia? Creo que este es su / suyo libro de alemán.
   ○ No, no es su / suyo, es de mí / mío.

12 Demostrativos.
Elige los demostrativos y adverbios de lugar según la distancia con los objetos.

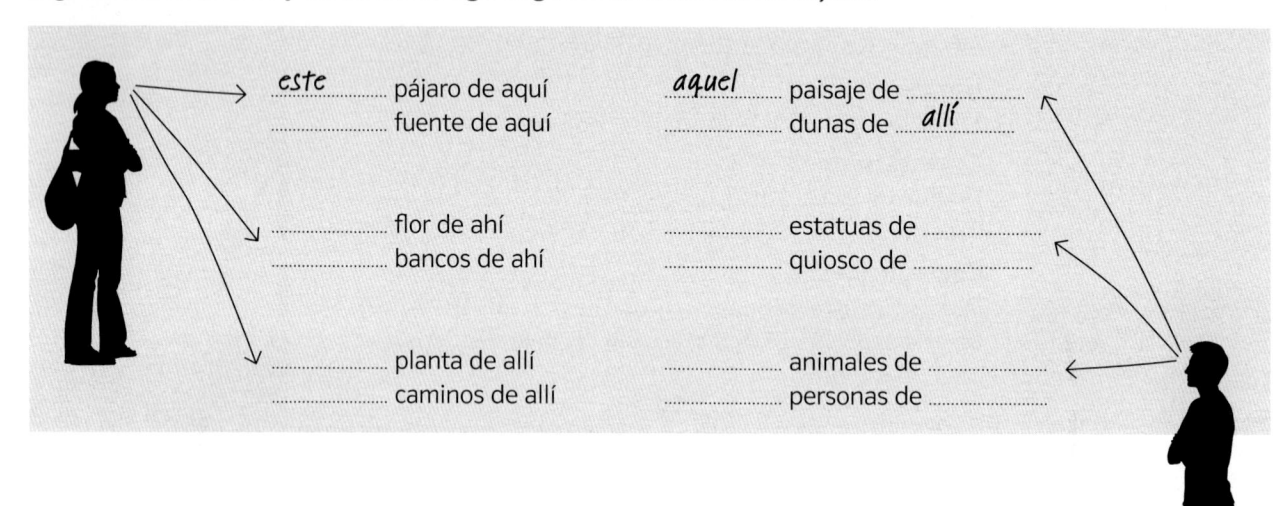

este pájaro de aquí
.... fuente de aquí

aquel paisaje de ....
.... dunas de *allí*

.... flor de ahí
.... bancos de ahí

.... estatuas de ....
.... quiosco de ....

.... planta de allí
.... caminos de allí

.... animales de ....
.... personas de ....

Mundo profesional

13 Tres llamadas de teléfono. ▶▶ 49–51
¿Son formales o informales? Léelas y completa con las frases de abajo. Luego escucha y comprueba.

1. • Caja Mediterráneo. ¿En qué puedo ayudarle?
   ○ Hola, buenos días. ☐
   • Un momento... El señor Marco está hablando ahora mismo por la otra línea. ☐
   ○ Sí, dígale que ha llamado la señora Paredes. Se trata de la tarjeta de crédito.
   • Muy bien. Le dejo una nota.
   ○ Gracias.
   • De nada.
   ○ Adiós.

2. • ☐
   ○ Hola, ¿está Alejandra?
   • ☐
   ○ Soy Samuel.
   • Un momento, Samuel. ¡Alejandra, Alejandra, teléfono! Es Samuel.

3. • ¿Sí?
   ○ Buenas tardes. ¿Puedo hablar con la señora Martín?
   • ¿Martín? ☐
   ○ Perdone. Adiós.

1. ¿Dígame?
2. ¿Puedo hablar con el señor Marco?
3. ¿De parte de quién?
4. ¿Quiere dejar un recado?
5. Lo siento, se ha equivocado de número.

¿Recuerdas?
En España, cuando se contesta al teléfono no se dice el nombre, sino ¿Diga?, ¿Dígame? O ¿Sí? En algunos países de Latinoamérica se contesta con ¿Aló?.

Pronunciar bien

14 **a. La combinación de las palabras.**

> Seguramente te has dado cuenta que al hablar en español hay una unión de palabras que dificulta la comprensión auditiva. Un hablante no nativo tiene que separar las palabras mentalmente para reconocerlas. Esto ocurre tanto con palabras que empiezan y acaban con la misma vocal (*conocía͜ a͜ Ana*) como con palabras que empiezan y acaban con la misma consonante (*el͜ león, comprar͜ rosas*).
> Es especialmente difícil reconocer dónde acaba y empieza una palabra, y por lo tanto identificarla, cuando la última consonante de una palabra forma una sola sílaba con la primera vocal de la siguiente palabra: *la-so-ve-jas*. En estos casos tenemos que ayudarnos de nuestra experiencia y de nuestro conocimiento de la lengua porque, si no, al separar erróneamente el artículo del sustantivo plural, buscaríamos en vano la palabra *sovejas*.

b. ¿Puedes reconstruir las frases que dijeron estas personas? ▶▶ 52
Escríbelas y después escucha.

No-be-ba-sa-gua-frí-a.
Da-mel-te-lé-fo-no.
¿Qué-ses-to?

Es-te-su-na-mi-go-mí-o.
¿Dón-des-tá-sa-ho-ra?
Voy-co-nu-na-mi-ga.

No-va-ya-se-nau-to-bús.
¿Co-no-ce-sa-mi-sa-bue-los?
No-sen-can-ta-tra-ba-ja-re-nel-jar-dín.

Portfolio

Ya puedo/sé...	☺ ☺ ☹
...nombrar animales y paisajes: el flamenco, ... ; el lago, ...	☐ ☐ ☐
...organizar una excursión: Quiero .... una reserva para .... ¿Quedan ....?	☐ ☐ ☐
...expresar alegría: ¡Qué ....! ¡Cuánto ....!	☐ ☐ ☐
...lamentarme por algo: ¡Qué ....!	☐ ☐ ☐
...mantener una conversación telefónica: ¿Puedo ....?	☐ ☐ ☐
...describir un parque: En el parque hay	☐ ☐ ☐
...expresar prohibición y obligación: Está .... fumar.	☐ ☐ ☐

También puedo/sé...	☺ ☺ ☹
...formar y usar el imperativo negativo: ¡No .... demasiado café! ¡No .... el coche!	☐ ☐ ☐
...usar los pronombres posesivos tónicos: Mi coche es rojo, ¿y el ....?	☐ ☐ ☐
...usar los artículos y pronombres demostrativos: .... coche es de mi padre y .... de ahí, de mi madre.	☐ ☐ ☐

3 Vamos al parque

Comunicación

Animales

el flamenco	el pájaro
la sardina	el pez
el cocodrilo	el reptil
el lince	el mono

Paisajes

el bosque	el árbol
la duna	la arena
el lago	el río
la playa	la marisma

En el parque

la fuente	el banco
el estanque	la estatua
el césped	el quiosco
la planta	la papelera

Organizar una excursión

Quiero hacer una reserva para…
¿Quedan plazas libres el dos de agosto?
¿Cuánto tiempo dura el recorrido?
¿De dónde sale el todoterreno / el autobús / el barco?
¿Cuánto cuesta la excursión?

Expresar alegría

¡Qué alegría!
¡Cuánto me alegro!
¡Me hace mucha ilusión!
¡Estupendo!
¡Qué bien!

Lamentarse por algo

¡Qué pena!
¡Qué lástima!
¡Qué mala suerte!

Mantener una conversación telefónica

Diga. / Dígame.
¿Puedo hablar con…?
¿De parte de quién?
¿Quiere dejar un recado?
Ahora mismo le paso.
Lo siento, se ha equivocado de número.
En este momento no está.
Este es el contestador automático de…

Prohibición y obligación

Está prohibido…
Hay que…
No hay que…
Se debe…
No se debe…
Respete las plantas.
No tire basura.
No haga ruido.

Gramática

El imperativo negativo

	-ar	-er / -ir	encender (e → ie)
tú	no pases	no bebas	no enciendas
vosotros	no paséis	no bebáis	no encendáis
usted	no pase	no beba	no encienda
ustedes	no pasen	no beban	no enciendan

	poner	ir	hacer
tú	no pongas	no vayas	no hagas
vosotros	no pongáis	no vayáis	no hagáis
usted	no ponga	no vaya	no haga
ustedes	no pongan	no vayan	no hagan

La primera persona del presente de indicativo es la base para el imperativo negativo. Esto ayuda especialmente para la formación de los verbos irregulares: hago → no hagas.
Los verbos en **-ar** llevarán terminaciones con **-e** (pasar: no pas**e**s);
los verbos en **-er** e **-ir**, terminaciones con **-a** (beber: no beb**a**s).
Los verbos con cambio vocálico en presente lo mantienen en el imperativo: enc**ie**ndo → no enc**ie**ndas, p**i**do → no p**i**das.
Los pronombres están entre **no** y el verbo: No **se lo** digas. No **te** bañes.
Las formas para **usted/ustedes** son iguales para el afirmativo y el negativo.

Los demostrativos

este	esta		de aquí
estos	estas		

ese	esa		de ahí
esos	esas		

aquel	aquella		de allí
aquellos	aquellas		

Se usa **este/esta/estos/estas** para referirse a cosas que están al alcance de la persona que habla.
Se usa **ese/esa/esos/esas** para referirse a cosas que están más lejos de la persona que habla y más cerca de la persona que escucha.
Para referirse a cosas que están fuera del espacio de ambos interlocutores se usa **aquel/aquella/aquellos / aquellas**.
Del mismo modo se usan **aquí**, **ahí** y **allí** (en Latinoamérica **acá** y **allá**).

Los pronombres posesivos tónicos

el mío	la mía	los míos	las mías
el tuyo	la tuya	los tuyos	las tuyas
el suyo	la suya	los suyos	las suyas
el nuesto	la nuestra	los nuestros	las nuestras
el vuestro	la vuestra	los vuestros	las vuestras
el suyo	la suya	los suyos	las suyas

Cuando el sustantivo es conocido o se ha mencionada ya, podemos repetirlo si usamos un pronombre posesivo con artículo: Mi hijo ya habla. – **El mío** todavía no.
Para hacer referencia al poseedor de una cosa, podemos usar el verbo **ser** seguido de un pronombre posesivo sin artículo: ¿Esta pelota **es tuya**? – Sí, **es mía**.

Mirador 4

1 **a. Vocabulario y gramática.**
Lee este correo electrónico y marca en cada número la palabra correcta.

> Hola Lucía:
>
> ¿Cómo estás? Ya sabes que el sábado Manuel [1] cumpleaños, ¿no? María y yo hemos pensado que podemos [2] un regalo los tres juntos. Le queremos [3] unas gafas de sol. ¿Te parece un [4] regalo? Es que él ha perdido las [5] hace poco y todavía [6] sin encontrarlas. ¿O tienes tú [7] idea mejor?
> María [8] las quiere comprar esta tarde, así que [9] y habla con ella si quieres participar también o ir con ella. No [10] preguntar en la tienda si se pueden cambiar las gafas si no le gustan a Manuel.
>
> Un abrazo y ¡hasta el sábado!
> Gabriel

1. ☐ tiene
   ☐ es su
   ☐ celebra su

2. ☐ le comprar
   ☐ nos comprar
   ☐ comprarle

3. ☐ prestar
   ☐ regalar
   ☐ devolver

4. ☐ bueno
   ☐ buen
   ☐ grande

5. ☐ sus
   ☐ suyas
   ☐ suas

6. ☐ deja
   ☐ vuelve
   ☐ sigue

7. ☐ algún
   ☐ alguna
   ☐ ninguna

8. ☐ te
   ☐ le
   ☐ se

9. ☐ llámala
   ☐ llames
   ☐ llame

10. ☐ olvidéis
    ☐ olvidad
    ☐ olvidáis

b. Lenguaje interactivo.
Lee el diálogo y completa las frases con cuatro de las expresiones de la derecha.

En una tienda de moda:
- Buenas tardes. ¿Puedo ayudarla?
- ¿.................. ese jersey gris?
- Está rebajado. Cuesta 75 euros.
- ¿.................. la talla 38?
- En gris no, sólo lo tenemos en azul.
- ¡..................! El azul no me gusta…
- Tenemos también las camisas en oferta.
- Esa de ahí me gusta para mi marido, pero si no le queda bien, ¿.................. el dinero?
- Por supuesto. También en rebajas tiene una semana para cambiar o devolver sus compras.

a. cuánto es
b. qué suerte
c. me devuelven
d. lo tienen en
e. cuánto cuesta
f. qué pena

4 Mirador

2 Comprensión auditiva (global). 53–57
Lee las siguientes frases. Luego escucha cinco textos cortos y decide si las frases son verdaderas (+) o falsas (–). Escucha los textos una segunda vez.

Cinco personas hablan sobre el medio ambiente.

1. José Rodríguez, director de hotel:
   ☐ Dice que no es posible ahorrar agua en un hotel.

2. Adelina Menéndez, estudiante:
   ☐ Va a la universidad en coche con un compañero.

3. Hugo Atienza, jubilado:
   ☐ La mayoría de los jóvenes dice que separa la basura.

4. Luis Benítez, enfermero:
   ☐ En su casa se puede encender la calefacción central siempre.

5. Corina Penedés, ama de casa:
   ☐ En su casa no se pone la lavadora más de una vez por semana.

3 Comprensión lectora (detallada).
Lee el siguiente texto y decide si las frases son verdaderas (+) o falsas (–).

1. ☐ El autobús sale a las siete y media.
2. ☐ En la visita guiada no participan otras personas.
3. ☐ Conviene llevar ropa para la lluvia.

INFORMACIÓN PARA LOS PARTICIPANTES EN LA EXCURSIÓN

Queridos alumnos:

Como ya sabéis, hemos tenido que hacer algunos cambios en los planes de la excursión del sábado. El autobús va a salir media hora antes, a las ocho. Tenéis que estar todos a esa hora en la Plaza de España. Por favor, no lleguéis tarde porque queremos llegar puntuales a las nueve y media al museo. Allí vamos a tener una visita guiada sólo para nuestro grupo. La visita dura hora y media y después tenéis tiempo libre para pasear por el parque. No olvidéis llevar ropa adecuada para la lluvia.

Hasta el sábado.
Roberto

---

4 Expresión escrita.
Un amigo español quiere visitar la región donde vives y te ha pedido información.
Escríbele una carta y menciona tres de estos puntos.

- Dile que puede quedarse en tu casa, aunque tú no vas a estar los primeros tres días.
- Explícale dónde puede recoger la llave.
- Dale algunas instrucciones para estar cómodo en tu casa.
- Explica qué lugares puede visitar.
- Cuenta con detalle cómo es uno de esos lugares (p. ej. un parque) y di por qué te gusta.
- Dile cómo va a ser el tiempo y qué ropa conviene traer.

Querido/-a...
Un beso,